言葉にならない

椎崎 夕

幻冬舎ルチル文庫

CONTENTS ✦目次✦

言葉にならない

✦カバーデザイン=高津深春(CoCo.Design)
✦ブックデザイン=まるか工房

イラスト・コウキ。✦

言葉にならない

1

――つくづく、心底、本当に間が悪い。

「あのさあ、とっとと帰れって言うならせめて、鞄《かばん》だけ返してくれないかなあ」

目の前に立ちふさがる鉄製のドアを叩《たた》きながら、譲原直人《ゆずはらなおひと》はげんなりと訴えた。

頻繁に出入りするようになって知ったことだが、分譲マンションの造りは賃貸アパートとはまるっきり別物だ。室内設備に加えて一階エントランスはもちろん、外廊下や手摺《てす》りの作りに非常階段と、直人が住む学生向けアパートとは比較にならないほどしっかりしている。

各部屋の玄関ドアも例に漏れずで、一見して「ものが違う」とわかる。

とはいえ、廊下での声はそれなりに室内に届くはずだ。さらに言うなら、先ほどから何度もインターホンを押してもいる。

にもかかわらず、目の前のドアは応答するどころか、こそとも反応しない。

「……どうしろってんだよ、おい」

ぼやいたのと、突っ立ったままの廊下の左手で音がしたのがほぼ同時だった。

共用廊下の突き当たりにあるエレベーターの扉が開いて、中から大柄な男が出てきたのだ。

小脇《こわき》にヘルメットを抱え、無造作にポケットを探りながら大股にこちらへ歩いてくる。

壁と一体化してやり過ごすつもりで、直人はさらに玄関ドアに張り付いた——のに、近づいてきた足音は真後ろで急に止まった。ついで、地の底から響くような低い声がする。

「——留守なのか？」

「居留守です。おれ、追い出されてからずっとここにいるんで」

渋々振り返った直人を胡乱《うろん》そうにじっと眺め下ろして、男は端整な顔をわずかに顰《しか》めた。

「こんな時間にうろつかれるのは迷惑だ。明日にでも出直せ」

「はあ……どうも、すみません」

もっともな台詞《せりふ》に素直に頭を下げると、男は足音とともに離れていった。

数メートル先にある隣室のドアが閉じる音を聞き届けるなり、ため息が漏れた。

あの男の名前は、おそらく「周防《すおう》」だ。隣室の表札にそう書いてあった。ちなみに、直人が彼と顔を合わせたのは今日で三度目になる。

初回は半年近く前の春で、この部屋から帰ろうとドアの外に出たらちょうど前を通りすぎるところだった。二度目は夏を目前にした日曜日の昼前で、直人が一階のエントランスで目の前のドアの住人を呼び出している時に、あの男は鍵で集合玄関を開けて入っていった。

すれ違い程度の遭遇をよく覚えているのは、年齢三十歳前後と思われる「周防」が隙《すき》なく整った容貌《ようぼう》をしている上に、やたらと大柄で迫力のある男だからだ。初遭遇の時には真っ昼間だったせいか黒ずくめの格好に濃いサングラスまでかけていたため、「ヤ」の字がつく職種の人かと警戒した。

「帰れって、言うのは簡単だけどさあ……」

ぼやいた唇の左端が痛いのは、目の前のドアから追い出される寸前に、部屋の主——つきあい始めて半年になる恋人に、言い合いの果てに頰《ほお》を張られたせいだ。早く帰りたいのは山山だったが、それができない事情が直人にはあった。

寄りかかった廊下の手摺りはコンクリート製のはずだが、身につけた半袖《はんそで》のシャツ越しにもかすかな熱を残している。大学が夏休みを終えたばかりの九月下旬はやや残暑が薄れているものの、夜中になっても昼間の熱気がうっすらと漂っていた。

恋人は直人のバイト先の正社員で、仕事終わりに一緒にここに「帰って」きたのだ。その時点で二十四時を回っていたはずだが、あいにく今の正確な時刻は不明だ。

その気になれば自宅アパートまで徒歩で帰れなくはないが、あいにく自室の鍵が手許にない。愛用の自転車も財布もなしで帰ったところで、早々に困るのは目に見えている。

——直人の携帯電話や財布や自転車と自宅の鍵や、明日の講義に必要なテキストや書きかけのレポート用紙をまとめて放り込んでいた鞄は、他でもない目の前のドアの向こうの窓辺に置いてあるはずなのだ。直人本人がそこに置いたのだから間違いない。

「——よし、と」

再度意を決して、直人は再びドアの前に立った。インターホンを連打しても沈黙を続けるドアにうんざりしながら、今度は直接ノックしてみる。

「阪井《さかい》さん。おれ帰るから、鞄返してください！　明日、大学で困るんで！」

二度三度とドアを殴《なぐ》っても、相変わらず応答はない。まさかもう寝たんじゃなかろうなとイヤな予想に一拍手を止めた、そのタイミングで近くのドアが開く音がした。

「――……おい。いつまでやってるんだ」

声とともに、隣のドアから男――「周防」が顔を出す。どうやら風呂上がりらしく濡《ぬ》れ髪にタオルを被《かぶ》っている上、上半身はタンクトップに下は短パンと実にラフな格好だ。見るからに鍛えた体格を目《ま》の当たりにして、そんな場合ではないのに見とれそうになった。

無造作に頭を拭《ぬぐ》いながらじろじろと直人を眺めて、「周防」は眉《まゆ》を寄せる。

「喧嘩《けんか》で締め出しか。若いな。――邪魔だからどいてろ」

無表情に言われて、犬の子でも追い払うように脇に押しやられた。

直人に代わってドアの前に立った「周防」が、おもむろにドア横のインターホンを押す。

二度三度とそうしたあとで、いきなり「がん」とドアを叩いた。

気のせいでなく、先ほど直人がそうした時とは明らかに違う音がした。

「おい。締め出すなら、本人の持ち物くらい返してやったらどうだ」

たった、それだけだ。なのに、数秒後にドアの向こうで金属質な音がした。呆気《あっけ》に取られた直人の前でドアが開いて、隙間から愛用の鞄が放り出される。それでおしまいとばかりにそそくさとドアは閉じてしまい、さらには鍵をかける音まで聞こえてきた。

「他に荷物は？」

放って寄越《よこ》された鞄を、ギリギリでキャッチする。「これだけです」と反射的に答えて顔を上げた時には、すでに「周防」は隣室のドアの向こうに消えるところだった。

「あ、あの！　ありがとうございましたっ」

慌てて口にした礼は、果たして届いただろうか。鈍い音とともにドアは閉じてしまい、直人は煌々《こうこう》と明るいマンションの廊下にひとり取り残されてしまっていた。

ため息混じりに、直人は恋人の部屋のドアに向き直る。一言文句を言ってやろうかと思ったけれど、時間の無駄だとやめることにした。

喧嘩と言っても、不機嫌だった恋人に些細《ささい》な言い合いの果てに激高《げっこう》されただけだ。おあつらえ向きに直人のバイトは明日は休みで、これといって約束もしていない。ここはしばらく間を置くのが一番だろう。

戻ってきた鞄を肩にかけて、直人はそそくさと廊下のエレベーター横の階段へと向かう。一階エントランスを出て、愛用の自転車の籠《かご》に鞄を押し込んだ。

どうやら腫《は》れてきたらしく、頬にひりつくような痛みと熱を感じた。とっとと帰って冷やそうと思い決めて、直人は何気なく携帯電話を開く。

時刻はとうに、午前二時を回っていた。

2

「譲原さ、清水《しみず》さんについてもらっていいかな。おまえが一番、機材の扱いに慣れてるんで」

翌日、その日最後の講義を終えて所属する天文サークルの部室に出向くなり、直人はサークル代表——部長からそう言われた。

「はあ。それは別に、いいですけど」

「助かるー。じゃあ、清水さんの相手は譲原ってことでよろしく。オレらは他に回るけど、ちゃんと引き合わせるからさ。清水さんは観測会の本部スタッフもやってるらしいんで、譲原は撤収もそっちに合わせて動いてくれる？」

「了解です。場所、公民館でしたよね？　おれ、自転車で行きますんで」

その場で合流場所を決めてから、直人は車を使うという部長たちと別れて駐輪場に走った。自転車を引き出して跨《また》がると、あらかじめ調べておいた目的地——公民館へ向かう。

今日は年に一度、市の主催で開催される天体観測会の日だ。広報にも掲載される各自治体が行う行事のひとつで、自由参加で参加費は無料、対象は主に小学生となっている。

直人が所属する大学の天文サークルでは、その観測会にボランティア参加するのが恒例なのだそうだ。「清水さん」はその際の市とサークルの連絡係であり、直人たちが所属する大学及びサークルのＯＢでもある。去年不参加だった直人はまだ面識がないが、今年卒業した先輩方からも人柄のきつさは聞き及んでいた。

それでもボランティア参加を断らないのは、対外的な面子《メンツ》と「活動やっています」アピールのためなのだ。何しろ活動状況は相当にぐだぐだで、学内ではすでに天文サークルではなく「夜間合コンサークル」などと囁《ささや》かれている。つまり、「星を見る」のはもはや主目的ではなく、口実あるいは大義名分になっているということだ。

去年一緒に入った同級生三人は半月と経《た》たずにやめていき、現時点でサークルにいる二年生は直人のみだ。個人で天体望遠鏡を所持し、時間があれば星見に出かけるような連中にとって、「夜間合コンサークル」にいても意味がないのは当たり前だ。

それでも直人が天文サークルにいる理由は、サークルが所持する機材がむやみに充実しているせいだ。個人で望遠鏡を持たない身としては、やめてしまうにはどうにも惜しかった。

秋の日は釣瓶《つるべ》落としという言葉通り、大学を出た時にはまだ明るかった空は会場の公民館に着く頃にはすっかり黄昏《たそがれ》に染まっていた。

部長たちは、すでに建物の正面入り口前で待っていた。駐輪場に自転車を押し込んだ直人が駆けつけると、いきなり腕を引かれて部長の前に立たされる。

「どうもー。こっち、サークル内で機材管理を担当している譲原です」

声とともにいきなりぐいぐいと頭を押さえつけられて、直人は面食らった。直後、部長の声が愛想特売状態だと気づいて、何となく察しがつく。

暗くてよく見えなかったが、すでに一緒に「誰か」がいたのだ。部長がここまで愛想を振りまくとしたら、まず「清水さん」と見て間違いない。確信しながら目を凝らしてみると、半端に俯《うつむ》いた視界の先に、見るからに長そうな膝下部分とむやみにごつい靴が見えた。

——その靴に、見覚えがあった。

「譲原はまだ二年なんですけど、サークル内ではダントツに知識があって機材の扱いにも慣れてますんで。十分、清水さんについて行けると思いますっ」

自慢げに言う部長の手から、やっとのことで力が抜ける。頃合いかと思いうっそりと顔を上げ、目の前の長い脚から黒い上着の上半身に、さらに顎《あご》を上げて相手の顔まで見極めた。

昨夜ずっと冷やしていたおかげできれいに忘れていた頬の痛みが、ぶり返した気がした。

目の前に立っていた「OBの清水さん」は、昨夜にも顔を合わせた恋人の隣人——「周防」だったのだ。

当然のことに、向こうも直人を覚えていたらしい。端整な顔は無表情だったが、それだけにほんのわずか眉を寄せたのがくっきりと目についた。

相手はOB、相手は先輩と頭の中で唱えて、直人はもう一度、儀礼的に頭を下げる。

「お世話になります。二年の譲原です。よろしくお願いします」

「……よろしく」

返った声は、昨日と同じく低くて渋い。続けて「周防」もとい「ＯＢの清水」が何か言おうとしたのを遮る勢いで、部長が嘴《くちばし》を突っ込んできた。

「そういうことで、譲原はお預けしますんで好きなだけこき使ってやってください！　こいつ割とよく気が利きますから！　じゃあ、オレはこれでっ」

言い逃げとはまさにこれ、という勢いで、部長は連れだっていた部員外の女子学生と一緒に去っていく。気がついた時には、直人はＯＢの男とふたりして取り残されていた。

長いため息を、聞いた気がした。反射的に見上げてみると、相手は無表情な中にも心底呆《あき》れたという風情《ふぜい》で直人を見下ろしている。

突き刺さるような視線という表現は聞いたことがあるが、実感したのはこれが初めてだ。珍獣扱いする気かと思って睨《にら》み返していると、上から低い声が降ってきた。

「……三脚は扱えるか。赤道儀《せきどうぎ》か経緯台か、どちらか触ったことは？」

「どっちも調整ならひととおりできます。けど、清水さんから指示いただければ何でもやりますよ。荷運びでも下準備でもどうぞ」

極力私情は抑えて言うと、相手はわずかに眉を上げた。淡々と言う。

「とりあえず、訂正だ。俺の名前は周防であって、清水じゃない」

「へ？　でも今、部長が清水さんって」

「勤務先の事業所名が、清水なんだ。この観測会にも勤務先名で参加しているから、市の事務局で清水呼ばわりされている。おまえの先輩はそれを鵜呑《うの》みにしているんだろう」

素《そ》っ気《け》なく言って、男――周防はふいと背を向けて建物の正面玄関の奥に向かった。

「……ちょっと、どこに――」

「望遠鏡を取りに行く。うちのベースで扱うのは赤道儀と経緯台がそれぞれ一台で、木星とはくちょう座のデネブを捉《とら》える予定」

ようやっと追いついた直人をちらりと見下ろして、周防は続ける。

「機材はあちこちの学校や施設からの貸与品だ。扱いはくれぐれも慎重にしろ。レンズ等の部品は、原則最初からケースに入っているものを使用。紛失及び入れ違い防止も兼ねて、貸し借りは厳禁だ。頼まれることがあっても絶対に応じるな。対応に困ったら声をかけてこい」

「はあ」と返した時に、一階奥の会議室に辿《たど》りついた。指定場所にあった望遠鏡や三脚を戸外へと運び出すと、決められた場所で組み立てにかかる。試すつもりなのか、周防は直人に赤道議ではくちょう座のデネブを捉えるよう指示してきた。

すぐさま作業にかかった直人は、けれど十数分後にはごく素直に周防に感心した。

素知らぬ素振《そぶ》りで全部見ているようで、わずかに手を止めただけで短い注意や助言が来るのだ。言い方そのものはぶっきらぼうだが、内容はやたら的確でわかりやすかった。さらに言うなら望遠鏡の扱いは見とれるほど手際よく、こんな人がサークルにいたらどんなにいいだろうと遠い目になってしまった。

レンズ越しの視界にデネブを捉え、ピントを微調整して望遠鏡から目を離したところで、十メートルほど先に人が集まっているのが見えた。漏れ聞こえた会話の断片から察するに、望遠鏡の扱いに慣れている人物の到着がトラブルで遅れているため、設置が進まないという。

今日のために嵌《は》めてきた腕時計は、開場十分前を指している。少し考えて、直人は二メートルほど離れたところで望遠鏡を覗《のぞ》いていた周防に声をかけた。

「こっち終わったんで、確認お願いします。あと、ちょっと向こうを手伝ってきます」

周防が顎先で頷《うなず》くのを見届けて、直人はすぐさまそちらへ向かう。

「よかったら手伝いましょうか。迷惑でなければ、ですけど」

声をかけてみれば、彼らは全員直人より年下のようだ。ほっとした様子で「お願いしていいですか」と頼んでくる。応じて、直人はすぐに作業に入った。勝手にやるのは好ましくなかろうと随所で彼らに声をかけると、素直に応じて手伝ってくれる。作業中に訊《き》いてみると、彼らは近くにある高校の天文部員で、ボランティアとしてここに来たのだという。

あとはピント調整のみという時になって、遅れていたひとりが息せききって到着する。部長だという眼鏡の彼に礼を言われたのをしおに、直人は抜けることにした。踵《きびす》を返すなり一斉《いっせい》に追ってきた礼の言葉に気恥ずかしく首を竦《すく》めて、周防のところに駆け戻る。

周防は、直人が調整した望遠鏡を覗いているところだった。足音で気づいたらしく顔を上げたものの、直人を見るなり訝しげな――少し驚いたような顔になる。

「それ、どっかまずいですか？　だったら具体的に教えてもらえると助かるんですけど」

「心配ない。きちんとできている」

即答した周防は、片手を望遠鏡に当てた格好で、物珍しげに直人を見下ろしている。

居心地の悪さに、背すじがもぞもぞした。

「そっすか。あの、他に何かありましたか？」

「いや。こっちに戻ってくるとは思わなかった」

言うなり、周防は大股に動き出した。望遠鏡の傍《そば》で開いたままのケースに、手早く丁寧にレンズのケースなどの備品を納めていく。望遠鏡ごとに備品をまとめておくらしいと察して、直人はすぐにもうひとつの望遠鏡のケースの傍にしゃがみ込んだ。

周防に倣《なら》ってケースを片づけた時、スピーカーを通して開場のアナウンスがかかる。間を置かずやってきた子どもたちや家族連れが望遠鏡を覗くのを手伝い簡単な説明をしながら、直人は先ほどの周防の言葉が字面《じづら》に反して揶揄《やゆ》に聞こえなかったことが引っかかった。

気になることは即確認するのが直人の信条だ。ちょうど人が途切れた合間に、思い切って近づいてみた。

「訊いていいですか。戻ってくるとは思わなかったって、どういうことでしょうか」

「ここ何年かの恒例だ。大学サークルの助っ人は機会があれば逃げて、戻ってこない」

即座に「嘘だろう」と思ったけれど、思い当たることがないではない。「あああ」という気分で、直人は周防を見上げる。

「それ、逃げたってより周防、先輩……のレベルについて行けなかったんじゃないですか？　うちの先輩方って赤道儀と経緯台の区別もあやふやっていうか、中にはソレが何なのか知らない人もいるくらいだし。――あ、でも今はちょっと違いますよ⁉」

向けられた視線に、現役先輩の面子を潰《つぶ》したかと肝を冷やして、直人は付け加える。

「今の部長が入った時点で、望遠鏡を扱える人がいなかったみたいなんです。勉強して、赤道儀の調整……もどきはできるようになったって話でした。あ、ちなみに今年の新入生には、赤道儀だけじゃなく経緯台も教えていってますんでっ」

言ったあとで、その部長がすでに周防の前で「譲原がダントツに知識があって機材の扱いにも慣れている」などと口走ってくれたのを思い出した。自らドツボに嵌まったのを知って背中に冷たい汗をかいていると、周防がかすかに笑う気配がする。

「あのサークルがまともに機能してないことは、たいていのOBなら知ってるぞ。もう五年目になるからな」

「は、……？」

「当時在学していた部員同士の揉《も》め事が内部分裂に発展して、活動が立ち行かなくなったあげく退部者が多く出たらしい。機材を扱える者がほとんどいなくなって、まともな観測会ができなくなった。今は、星見はただの口実になっている。――という話なら聞いた」

告げられた内容の三割くらいは知っていたが、残りは初耳だ。納得するとともに、胃袋がハミ出しそうなため息が出た。

「だから夜間合コンサークルなんですかー。あんだけの機材があるのに、宝の持ち腐れじゃんか」

「持ち腐れ、か。まあそうだろうな」

「ですよねえ？　あれだけのものがあるんだから観測会やらないと勿体《もったい》ないですよね？　だから一応、努力はしてんですよ。後輩ん中には何人か、まともにやろうって連中もいるし。そりゃ、すぐに昔ほどにはならないと思いますけどっ」

部室で発掘した活動記録によれば、六年前以前の天文サークルは月に複数の定期観測会に加えて突発的な観測会、それに機材に関する勉強会や技術講習会と諸々《もろもろ》の活動をしていたのだ。夏冬には、遠方で観測会を兼ねた合宿までやっていた。

やたら充実したあの機材は、それなら当時の遺産なのだ。道理でと納得しながら、ついため息が漏れた。

「そうなのかー。だからうちのサークルって、ＯＢとか全然、顔出さないんだ。え、でも周防先輩っていつの卒業でしたっけ？」

「今年の三月で丸八年だな。内部分裂したと聞いたのは、卒業して四年経った頃だ。俺もそうだが、まともに活動もしないサークルに顔を出すほどOBも暇じゃないだろう。正直、この手伝いも伝統でなければとうに断っていたところだ」

このボランティアは、周防が学生だった頃には恒例化していたのだそうだ。卒業と同時に縁が切れたはずが、勤務先がこの観測会への協賛を決めた時点で自動的に手伝い要員に指名された。さらに、市の担当職員に大学サークルのOBだと知られて橋渡しを頼まれた。当初は立派な主戦力だったが、内部分裂以降は見事なお客さん状態になったのだそうだ。

「あー……それはどっちも、わかる気がしますけどねえ」

しみじみ頷いたあとで、するっと口走った「やばい内容」をすんなり肯定されたことに気がついた。あれ、と首を傾《かし》げていると、またしてもじっと周防に見下ろされてしまう。

「……去年は見なかったが、まだサークルに入ってなかったのか？」

「本当は来るはずだったんですけど、身内が事故に遭ったんで急遽《きゅうきょ》帰省したんです。幸い、当事者はまだぴんしゃんしてますけど」

「――それで？　まともな活動ができないと知っても、やめる気はないわけか」

問いが揶揄には聞こえなかったから、直人は直球の本音で返した。

「おれがやめたら、誰が機材の手入れすんですか。後輩にノウハウ教えて、ちゃんとした観測会できる奴がどこにいます？」

「……なるほど」

「ものは考えようですよ。少なくとも部長を含めた先輩がたはおれがやることに文句はつけないし、おかげで入った早々から機材はいじり放題だったし。地道に仲間増やして、そのうちまともな観測会やってみせます」

胸を張って鼻息も荒く言い放ったら、隣にいた周防が今度こそ本当に笑った。わずかなその変化を目の当たりにして、直人は案外格好いい人じゃないかと思う。

「——望遠鏡の扱いにずいぶん慣れているようだな。どこで習った？」

「父親が好きで赤道儀も持ってたんで、小学生の頃から時々触らせてもらってたんです。本格的に始めたのは高校の部活に入ってからですけど、私立だったせいか機材は揃《そろ》ってたし、全寮制で敷地内だったら簡単に夜間観測会の許可も下りたんで、割としょっちゅうやってました」

「長いな。ずっと好きで続けてたのか？」

「小学生の頃は、星より望遠鏡に興味があったんですよ。中学でいったん離れたんですけど、受験の頃に星は変わらないって聞いて本当かなと思ったのがきっかけで、高校で天文部に入ったんです」

「変わらない？」

「星座っていうか、星の位置の話です。実は変わっていくんだっていうのはあとで知ったんですけど、地上から何万年とか何十万年がかりの変化なら変わらないと思っていいかなあと」

つらつらと続けながら、何でこの人にこんな話をしているんだろうと頭のすみで思った。

「世の中、ほとんどのものが変わっていくじゃないですか。ガキなりに諸行無常を感じてた頃だったんで、むやみに感動したってのもあるんでしょうけど」

「……ああ。そうか」

低い相槌《あいづち》を聞くなり我に返って、喋《しゃべ》りすぎたと気がついた。ひどく恥ずかしいことを言ったと焦って目をやると、周防は真面目《まじめ》な顔で直人を見下ろしている。

「確かにそうだな。言われるまで、そんなふうに考えたことはなかったが」

ぽつんと返った言葉の思いがけなさに、直人はぽかんとする。それをじっと見下ろしていた周防が、何かに気づいたように視線を転じた。ほぼ同時に、軽い足音と笑い声とともに入場者がこちらに回ってきた。

すぐさま応対に戻りながら、周防に対する印象が大きく変わったのを実感した。

OBのよしみで、時間がある時にでもいろいろ教えてもらえないだろうか。そう思って間が空いた時に近寄ってみると、どういう具合か周防とまともに目が合った。

「ところで、今夜も隣に行くのか？」

いきなりそう来るか、と思った。

これまで昨夜のことが話に出なかったから、てっきり見逃してくれるものと思っていたのだ。一瞬で考えて、直人は即座に頭を下げる。

「えーと、昨夜はいろいろご迷惑をおかけしました。助けていただいて、ありがとうございました。お礼とお詫《わ》びが遅れてすみませんでした」

うっそりと顔を上げて、直人は少し声を落とす。

「それで、ですね。勝手だとは思いますけど、昨夜のことは内聞にしておいていただけませんか。その……いろいろあるもんで」

「だったらもっと周囲に配慮するんだな。あんな時間にあのなりで廊下に突っ立っていたのでは、痴話喧嘩丸出しだ」

瞬間、直人は絶句した。表情のない目で見下ろしてくる周防に、やっとのことでへらりと笑ってみせる。

「ちわげんか、って……ないですよ、それ。第一、おれも阪井さんも男じゃないですかー」

「どっちでも構わないが、いちゃつく時は窓くらい閉めておけ。春からこっち、物音も声も丸聞こえだ」

告げられた言葉には山のような心当たりがあって、心底肝が冷えた。

あの部屋の住人――阪井は、直人の同性の恋人だ。暑がりのくせにエアコンが嫌いで、真夏であっても早朝や深夜には窓を開けて扇風機で過ごす。

要するに、直人にちょっかいを出す時にも窓は全開のままなのだ。そのくせ直人が声を殺すと興醒《きょうざ》めだと文句を言い、声を聞かせろと執拗《しつよう》に焦《じ》らす。反論や抵抗をすると機嫌が悪くなるし、先回りして直人が窓を閉めておいてもわざわざ開けに行ってしまう。

どんなに頼んでも無駄なのだ。そして、人間の慣れというのはなかなかに怖いものがある。あそこは直人の住まいではないし、半年通っても他の住人の姿はろくに見ない。それで気になりつつも流されていたわけだが、まともに指摘されると顔から火が出そうになった。

「そ、……れはどうも失礼しました……その、スミマセン」

ぎくしゃくと謝罪を口にした直人を見下ろす周防は、平淡な口調で言う。

「不毛だな。とっとと別れた方がいいんじゃないのか」

「――……非常にあいにくなんですが、いくら何でもアンタにそこまで言われる筋合いはないと思いますんですけども！」

相手は先輩と唱えつつ切り口上だけは避けようと思ったら、おそらく文法上あり得ないと思われる言い回しになった。上目にきりきりと相手を睨《にら》みつけて、直人は声を強くする。

「世間の迷惑だというのは重々承りました、以後気をつけまっす。ですがアンタも大人なら見なかったフリをしてくださいということで！」

全身の毛を逆立てた直人を無表情に眺めたきり、周防はふいと視線を逸《そ》らした。新たにやってきた家族連れに向き直って、応対を始める。

歓声を上げてやってきた子どもに引きつった笑顔を向けながら、直人は「今、見直したばっかりなのに！」とばかりに腸《はらわた》が煮えた。

沸騰していたテンションが冷えてきたのは、小一時間が過ぎた頃だ。人が退《ひ》けても続く沈黙を気まずく味わいながら、今さらに「まずいことになったんじゃないか」と気がついた。

阪井は、直人との関係が他人に知れるのを極度に嫌っている。人目がないと箍《たが》が外れるのはそのせいだと主張していたが、それで隣人に知れてしまったのだからお笑いだ。

……だからといって、一応恋人である以上、放っておくわけにもゆくまい。

ため息混じりに腹を括《くく》って、直人は横目に大柄な男を眺める。

どこかで機会を見つけて、頭を下げまくる。他に、方法は思いつかなかった。

3

翌土曜日、直人は予定通り、夕方からバイトに入った。

現在の直人のバイト先は、町中からやや離れた国道沿いにある地方チェーンのカフェレストラン「エル」だ。主に女性客をターゲットにした料理やデザート類が評判を呼んでいるとかで、実際に客の八割は女性客で占められている。営業時間は十時から二十四時までだ。

大学と図書館を経由してバイト先に行ったせいで、担いだ鞄はずっしりと重い。それを更衣室の自分のロッカーに押し込み、バイト仲間と話しながら汗ばんだシャツを脱いでいると、ドアが開く音がする。何気なく振り返って、ついため息が出た。

「譲原。ちょっといいか」

「あー……着替えてからでいいですか？　あんまり時間ないんで」

「いいから先にこっち来いよ。すぐ終わる」

強引な物言いと硬い表情に、バイト仲間がドア口に立つ彼――阪井と直人を怪訝《けげん》そうに見比べているのがわかる。

羽織った制服の前ボタンを嵌め、下はジーンズを穿《は》いたままで、直人は更衣室を出た。フロアに続く人気《ひとけ》のない通路で、潜めた声に言われる。

「話がある。今日、仕事上がりにうちに来い」

「いいけどさ、そのくらいでいちいち呼び出したりしない方がいいんじゃないの。あんたとおれって、店以外での個人的なつきあいはないってことになってるんだしさ」

フロアに続く人気のない通路でいきなり言われて、直人は思わず呆れてしまう。

じろりと見下ろしてきた阪井――直人の恋人は、隠す素振りもなく機嫌が悪い。そういう態度にすっかり辟易《へきえき》していたため、直人はあえて機嫌は取らなかった。

「いいから来い。終わったらすぐだ。寄り道はするなよ」

さらに険悪な顔をした阪井は、一方的に言いつけてフロアへ戻っていった。

はっきり年齢を聞いてはいないが、阪井は直人より五歳以上は年上のはずだ。優しげに整った容貌と平均より高めのすらりとした身長はいわゆる王子様系で、「エル」の常連には阪井目当ての女性客もいる。

もっとも、客受けがいいからスタッフ内でも評判がいいとは限らない。――ということを、阪井はここ一か月で見事に体現していた。

直人が更衣室に戻ってみると、着替えをすませたバイト仲間が心配顔で待っていた。

「何かあったのか？　阪井チーフ、すんげー怖い顔してたぞ」

「あとで話があるって言われた。けど、心当たりないんだよなあ」

着替えを再開した直人を眺めて、彼は「だよなあ」と首を傾げた。

「もしかして、メシでも誘われるんじゃないか？　チーフ、ナオのことは割と気に入ってる感じだしさ。昨日の喧嘩の愚痴でも聞かせたいのかも」

「……喧嘩って、もしかして店長と？　またやったんだ？」

「そ。どっちも譲らねーから見事な泥沼。何でああも仲が悪いんだかねー。店長はまだ抑えてるっぽいけど、チーフなんか顔にも態度にも出まくりだもんな」

バイト仲間の話を聞きながら、直人は身支度を進める。ロッカーの扉の内側についた鏡に映る自分の顔を眺めながら、そろそろ潮時だろうなと思った。

いわゆるハンサム顔な阪井とは違い、直人は身長も体格も、そして顔も「ふつう」だ。特別整っているわけではない代わり、特に不細工でもない。たとえばテレビの街頭インタビューに出たとしても、「ふつうの大学生」そのもの過ぎてまず印象に残らない。

その直人と以前から知り合いだったことすら、阪井は神経質に隠している。ここでのアルバイトを強く勧めたくせに口利きはせず、あくまで直人が募集を見て自分で応募したというスタンスを取らせた。おかげさまでアルバイトに入って半年近くになる今も、直人と阪井は正社員とバイトという距離を表向き保っている。

そして、一か月前からの阪井の変化の発端は、本部から出た昇進辞令なのだ。

「チーフって、そんなに偉いもん？　けど、どんだけ偉くても店長の方が立場は上だよな？」

バイト仲間のぼやきに、直人はため息混じりに言う。

「そりゃ当然店長が上だろ。正直、おれは店長の辛抱強さに感動してるよ」

「オレも。他のバイトも、みんな言うことは一緒なんだよな」

フロアスタッフからフロアチーフにクラスチェンジした阪井の変化は、わかりやすいところで店長に対する態度だ。

もともと反りが合わないのを、店長が一歩引いて堪《こら》え、阪井が一歩下がって譲歩して、やっとなんとかいっている状況だったのだ。昇進した阪井が「チーフ様」な態度になったことで、ふたりの雰囲気は一気に険悪になった。

「もしかして、あれかな。『エル』のチェーンって、結構店長の異動が多いじゃん？　チーフとしては近々今の店長が異動して、自分がここの店長になりますって気分なのかも」

「チーフになってすぐ店長狙《ねら》い？　まあ、確かに阪井さんて上昇志向強いけど」

「可能性はあるだろー。とにかく店長が目障《めざわ》りみたいだしさ」

バイト仲間と連れだってフロアに出ながら、直人は内心で「それもアリかも」と思う。

つきあい始めた頃から一か月前までの阪井は、それなりに優しい恋人だったはずだ。多少困ったことや引っかかりはあったが、内容はつきあっていればあるだろうというものばかりで、ふたりきりでの甘い時間を過ごしたり、一緒に遊んだりすればリセットできた。

それが、チーフの辞令を受けてからおかしくなった。直人の話をろくに聞かなくなり、自分の都合をゴリ押しする横柄さが見えてきた。ハサミで四分の三くらいちょんぎったのかと思うほど気が短くなり、八つ当たりをされたり物を投げつけられたりは日常茶飯事になっていて、一昨日の夜はとうとう殴られた。

それで、今日会うなり言うことがアレだったわけだ。ここはとっとと別れ話を切り出すのが一番だろう。

「譲原くん、これ七番テーブルによろしく」

「了解です。あと、すみません、カフェサーバーの牛乳が切れてるみたいなんですけど」

「わかった。すぐ補充するよ」

即答した店長が手早く仕事にかかるのを、レジ奥に突っ立った阪井が白けた顔で見ている。手が空いているはずなのに、動こうという気配もない。

店長も気苦労が多いだろうが、間に挟まって右往左往する羽目になるフロアスタッフはさらにいい迷惑だ。おかげさまで、バイト終わりには身体《からだ》よりも気分の方が疲れ切ってしまう。この上さらに阪井の自宅に出向かねばならないのかと思うと、本気でうんざりした。すっぽかして帰ってやりたいのは山々だが、明日の日曜も午後から半日バイトが入っていて、阪井もまた出勤日なのだ。

先延ばしにして面倒を増やすより、早めに別れてしまおう。思い決めて、直人はバイトが終わるなり愛用の自転車に乗り、秋らしくなってきた夜の中を阪井のマンションに向かった。

エントランスで正面玄関を開けてもらい、階段を駆け上がって阪井の部屋の前に辿りつく。周防に会わなかったことにほっとしてインターホンを押すと、すぐに中からドアが開いた。

「……遅かったな」

「店長に頼まれてちょっと手伝ってた。カフェサーバーの調子がよくなくてさ」

玄関のドアを背中で閉じながら答えた直人に、阪井は吐き捨てるように言う。

「そんなのバイトの仕事じゃないだろ。放っときゃいいんだよ」

「放っといたら明日、困るじゃん。ドリンクバー使えませんてわけにはいかないし」

「だとしても、それは店長の責任だ。おまえがいいように使われる理由はないだろうが」

叩き返すように言われて、本気でむっとした。

「そんで？　阪井さんの話って何」

「……上がれよ。そこじゃ話にならない」

「明日の朝、早いんで今日はすぐ帰る。あと、店長との喧嘩のことなら、聞く気はないから」

とたんに阪井は表情を険しくした。じろじろと直人を見下ろして、吐き捨てるように言う。

「そっちじゃねえよ。おまえ、この期《ご》に及んでとぼける気か？　せめて言い訳くらいは聞いてやろうと思ったのに」

「言い訳って何。おれ、あんたに何かやったっけ？」

「——隣の奴にいらないこと言っただろうが」

いつもの不機嫌さとは種類の違う冷ややかな声で言って、阪井は顎を左に——周防の部屋の側にしゃくってみせる。

よもやとは思ったが、あえてうんざりした顔を作って、直人は言う。

「言ってないよ。そもそも一昨日の夜に初めて喋っただけの相手に、どこで何言うわけ」

「本当は、一昨日が初めてじゃないだろ。もっと前から知り合いで、おまえの方から色目でも使ってたんじゃないのか」

「あのさあ。勝手に話作るの、やめてくれないかな」

「深夜に人を締め出すのは無責任だの、もっと周囲に配慮しろだの。——おまえのアノ時の声も、聞こえてたらしいよな。やたらでかい声だったけど、あれ、隣に聞かせるためかよ」

聞いた瞬間、脳裏に浮かんだ周防を思い切り罵倒《ばとう》してやりたくなった。

とはいえ、「不毛」発言さえ除外すれば周防の言うことは頷けるばかりだったのも事実なのだ。改めて思い返せば、流されていた自分がつくづく馬鹿に思えてきた。

顔を上げて、直人は阪井を——本来は恋人であるはずの男を見返した。

「そういうの、下衆《げす》の勘繰《かんぐ》りって言うんだよな。あんたのことだけど、意味わかる？」

「……っ、ふっざけんな！　オレは何度も言ったよな⁉　ここは親類から借りた部屋で、オレは留守を預かってんだよ！　よりにもよって男を引っ張り込んでたと知られたら、どうしてくれんだよ。おまえ、責任取れんのか⁉」

口角に泡を飛ばす「恋人」を眺めながら、冷静に「ああキレたな」と思った。尽きない罵倒は都合よく脚色されていて、聞き流そうにも違和感が次々と引っかかっていく。

阪井によると、隣人に気づかれた原因は直人にあるのだそうだ。一昨日の夜中のあの状況は出来過ぎている、実はふたりして阪井を引っかけたんだろう、冗談じゃない、自分はいずれ可愛い女の子と結婚して真っ当な人生を送るのに、人の将来をぶち壊すつもりか、云々《うんぬん》。

罵倒と愚痴と泣き言が九割の「言い分」を、直人は右の耳から左の耳へと受け流す。頭に浮かぶのは、ひたすら「面倒」という熟語ばかりだ。

「んじゃ、別れましょうか。おれがここを出たら、おれの連絡先を削除してください。おれもそうします」

「何だよそれ！　逃げる気か⁉」

「全部おれのせいなんだったら、とっとと別れるのが一番じゃないですか。心配ないですよ、別れた相手につきまとうほどおれには根気も根性もありませんからね。明日から、『エル』で会ってもただのバイトとチーフってことで」

よそよそしい顔で敬語を使うと、阪井はかえって眦《まなじり》を吊り上げた。

「冗談じゃない。おまえ、バイトに残る気かよ」

「募集があるのは教えてもらったけど、口利いてもらった覚えはないですし。あんたに指図されるいわれはないですね」

「人に迷惑かけたあげく職場にまで居座る気かよ⁉　本気で根性最低だよなあ⁉」

上から怒鳴りつけられて、どこかでぶつんと何かが切れる音がした。

じろりと元恋人に向けた視線は、かなり据《す》わっていたに違いない。それまで辛《かろ》うじて掲げていた「穏便に」という熟語を彼方《かなた》に放り出して、直人はじっくりと阪井を眺め上げ、眺め下ろしてやる。ふうん、と鼻先で笑ってやった。

「最低ですか。変にいばりくさって店長の足引っ張ってるだけの社員さんには、言われたくない台詞だなあ」

「……っ、尻も口も軽いただのバイトのくせして、何言ってやが――とにかく、おまえはクビだからな！　金輪際《こんりんざい》店に近づくな！」

「おれが尻軽だったら、アンタは下半身緩いプライドだけ男ですね。どっちにしても時間の無駄なんで帰ります」

宣言して、とっとと玄関ドアの外に出た。わざと乱暴にドアを閉じて、直人はおもむろに振り返る。腹立ち紛れに、スニーカーの底でドアを蹴りつけてやった。

「……ふっざけんな、馬鹿ったれが！」

がん、と響いた鈍い音に重ねて唸《うな》り、ふんとばかりに背を向けたところで、気がついた。

数メートル離れた隣室のドアの前に、できれば今は会いたくなかった相手――周防がいて、じっとこちらを見ていたのだ。たまたま居合わせたとか帰ってきたというより、在宅中にわざわざ様子を見に出たという雰囲気だった。

「……また痴話喧嘩か？」

何でいるとかどうして見ているとか、言いたいことは山ほどあるはずだが、再び爆発するには、今の時点では気力が足りない。ついでに、何を言い出すか自分でもわからない。頭の中の一部だけ冷えきった部分で判断して、直人は最低限の台詞を口にする。

「訂正。ただの喧嘩です。たった今、別れましたんで！　夜中にお騒がせしてすみませんでしたっ」

言うなり相手に背を向けて、直人はエレベーターの方角へ向かった。

――昨夜の天体観測会の片づけの時、直人は周防に頭を下げて、阪井と自分のことは黙っていてほしいと頼んだ。この男は微妙に厭《いや》そうな顔で、それでも頷いてくれたのだ。

まさか、昨日の今日で阪井に告げ口されるとは思ってもみなかった。そんな自分を、後ろから蹴倒してやりたくなった。

エレベーター横の鉄製のドアから出た階段は暗かったが、明かりを点《つ》けに戻る気になれなかった。構わず階段を下りかけた直後に、不意打ちで足許が滑る。

げ、と思った時には、身体が宙に浮いていた。アクション映画でこんな場面を見たななどと暢気《のんき》に思ったコンマ三秒後には周囲から音が消えて、とんでもない勢いで視界が反転する。がつんと全身に走った衝撃で、直人は我に返った。——そうして、自分が半階分下りた先の踊り場の手摺りに、右半身を押しつけるように転がっているのを自覚する。

「……っ、——て……」

痛みは感じないのに、目の前がぐらぐらした。何とか頭をもたげたものの、どうにも思考がはっきりしない。そこに、足音とともに声が降ってきた。

「おい、大丈夫か。怪我《けが》は⁉」

伸びてきた手が、半身を起こすのを助けてくれた。背後の手摺りに凭《もた》れる格好で、直人は小さく息を吐く。

「頭は打ったか。どこか痛むところは？」

「平気。頭も、たぶん打ってはない……です。ども、お騒がせシマシタ」

言い終える前に、その「相手」が周防だと認識した。よりにもよってな相手の前での失態に自己嫌悪に陥りながら、直人は差し出された手をやんわりと退ける。

「煩《うるさ》くしてすみません。すぐ帰りますんで」

「その前に両手を上げて頭を振ってみろ。目眩《めまい》や吐き気はないか？」

「ないです。たぶん、あちこち打ったとか擦《こす》ったくらい……絆創膏《ばんそうこう》ですむ程度だと思います」

反射的に言われた通りの動作をし、素直な返事をしたあとで、見事に相手に乗せられたのに気がついた。擦り傷ができた肘《ひじ》を周防の目から隠すように背中に回して、直人は息を吐く。

「……大丈夫です。周防先輩は、気にせずお帰りください」

言いながら、直人はおもむろに腰を上げる。足を踏みしめるなり右の足首に鋭い痛みが走って、思わず「いっ」と声を上げていた。辛うじて手摺りにしがみついた肘を摑《つか》まれて、直人は再びコンクリートの踊り場に座り込む羽目になる。

「触るぞ」と聞こえた声にぼうっとしたまま目を向けると、床に膝をついた周防が直人の右足首をスニーカーごと摑むところだった。

「え、ちょっ……」

「痛かったら言え。無理はするな」

「いや、無理って、待っ――っ、……いっ、てえええええ！」

慎重な手つきで足首のどこやらを押さえられて、ものすごい激痛が頭のてっぺんから吹き出した。反射的に膝ごと引いた足を取り戻して、直人は涙目で周防を睨んでしまう。

「骨をやっているかもしれないいな。――阪井は部屋にいるんだな？」

「呼ばないでくださいっ。金輪際、何があってもお断りです！」

口調の激しさが意外だったのか、周防が浮かせかけていた膝を元に戻す。物言いたげな視線を受けて、直人はぶっきらぼうに言った。

「さっき言いましたけど！　たった今、きれいさっぱり別れましたんで、それだけは絶対に厭です。自力でどうにかしますんで、放っといてくださいっ」

「……具体的に、どうするつもりだ？」

「それはこれから考えます。というわけで、いろいろお気遣い、ありがとーございましたっ。とっととお帰りになってくださいっ」

自分の切り口上を聞きながら、直人は自分のその反応を「可愛くないな」と思う。

結局のところ、今の直人は本気でやさぐれているのだ。まともに喋るのは三度目の、目の前にいる大学のＯＢに八つ当たりをしている。

人付き合いは円滑に、多少の面倒や鬱陶《うっとう》しさは右から左に受け流し、鬱憤《うっぷん》は笑い飛ばして発散する。それが直人の信条なのに、どういうわけか周防相手だとうまくいかない。これはもう、よほど合わないんだろうとしか言いようがない。

たっぷり一分近く直人を眺めていた周防が、ふっと息を吐いて腰を上げ、階段を上っていく。自分で追い払ったくせに、直人は見捨てられたような気分でそれを見送っていた。

——それだから、周防が四段ばかり上った階段をすぐに引き返してくるのを目にしてぽかんとしてしまったのだ。階段で拾った鞄を彼が無造作に肩にかける様子に、つい声が出た。

「それ、おれの……」

「今は午前零時を回っていて、世間一般で言うところの真夜中だ。前にも言ったが、大騒ぎされると住人の迷惑になる。……だから、騒ぐなよ」

最後の一言と重ねるように、いきなり肘を摑まれた。あり得ないほど近い距離と急な展開に呆気に取られているうちに、直人は荷物扱いで周防の肩に担ぎ上げられている。

「え、あ、い……っ⁉　ちょ……」

「近所迷惑だから黙ってろ。間が悪ければ舌を嚙《か》むぞ」

「うぎ」

近所迷惑云々は確かにその通りで、反射的に奥歯を嚙みしめていた。混乱したままで、直人は男の肩に担がれたまま、階段を下りていく景色を見ていた。

4

周防のオートバイに二人乗りする格好で連れて行かれた先は、町中にある診療所だった。

あれよあれよとはこのことだ。あっという間に診察室に押し込まれ、どういうわけかシャツを剝《む》かれて上半身と足首を調べられて、レントゲンまで撮られてしまった。

「肩と背中の打撲と腕の擦過傷《さっかしょう》と、右足首の捻挫《ねんざ》だねー。全治二週間てとこかなー。足首の方はかなり捻《ひね》ってるみたいだし、包帯とサポーターで固定しておこうか」

どう見ても八十は越えていると思われる総白髪《そうしらが》の小さな老医師が、レントゲン写真を眺めて言う。椅子《いす》ごとくるりと直人の方を向いて、眼鏡の奥の目で子どもみたいに笑った。

「うちの松葉杖を貸してあげるから、当面はそれ使いなさい。たぶん一週間ほどでいらなくなると思うから、その時は返してねー」

老医師ののんびりした物言いと風体《ふうてい》にお地蔵さんを連想して和《なご》んだのもつかの間で、直人は「松葉杖」と「一週間」の台詞にぎょっとする。

「でもおれ、大学もサークルもバイトもあって、特にバイトは立ち仕事なんで」

「けどねえ、ここで無理すると癖になるかもしれないよ？　あと、杖なしで歩いて転んだら、今度こそ骨折コースかもしれないねー」

飄々《ひょうひょう》とした言い分の真偽を疑ったわけではないが、直人は試しに包帯とサポーターで固定されたばかりの右足を、座ったままで踏ん張ってみた。とたんに足首から脳天に走った言い知れない痛みに、気がついたら涙目になってしまっている。

「ほら。やっぱり無理だよねー？」

「……はあ。そうらしいです」

「一週間ほどおとなしくすれば、痛みはかなり引くよ。だからって完治前に無理するとかえ

って長引くことになるけどねー。んじゃあ僕はビデオに戻るから。あとはよろしくね」

にこにこ笑顔で脅しのような台詞を口にして、老医師はとっとと席を立つ。ひょこひょこと遠ざかる小柄な白衣の背中を見送りながら、今後を思って長くて深いため息が出た。

「やば……えっと……大学の講義は何とかなるか。サークルは事情話して、バイトは――

……ああ、そっか。クビだって言われたんだっけ」

数時間前の阪井との言い合いを思い出してぼやいた時、横から知らない声がした。

「え、何それ。クビってどういうことかな」

反射的に顔を上げたとたん、目に入ったのは視界の外れにいた周防の顔だ。何か違うと確かに思ったのに、その瞬間に頭の中で何かがキレた。

「あ、んたさあ……阪井さんに余計なこと言ったろ……？」

「何をだ」

「とぼけんなよっ。知らないふりしてくれって、おれは確かにあんたに頼んだよな？　なのにあんた、阪井さんに何言ったんだよ!?　おかげでバイトやめろとまで言われたじゃんか！」

噛みつくように言った直人を無表情に見返して、周防は軽く息を吐く。

「何のバイトだ。それとこれとどういう関係がある？」

「阪井さんは、おれのバイト先のチーフなんだよ！　別れるまではいいけど、何でおれが口が軽い奴だの、そんなバイトはいらないだの言われなきゃなんねーんだよっ」

「……それのどこが、俺のせいなんだ？」

とても胡乱そうに言われて、正しい言い分だと思いながらもカチンときた。

「関係ないんだったら、最初っから黙っててくれたらいいだろ！　ああもう、どっちにしてもこの足じゃバイトは無理だけどさあ……」

アパート代と学費と最低限の生活費の心配はないが、趣味及び遊びの金は自前で稼ぐことになっている。そして今月はずっと欲しかったウン万円の写真集を買ってしまったため、生活費の部分でバイト代をアテにしていた。

怪我が治って次のバイトを見つけてバイト代が出るまで、どうやって凌《しの》いだものか。頭の中で必死に算段していると、視界の外れから暢気な声がした。

「きみ、譲原くんて言ったっけ。パソコン得意？　一太郎とワードとエクセルは使える？」

「……は？」

急に横からかかった柔らかい声に意識を向けて、その声がさっき聞いた「クビってどういうことかな」と同じものだと認識した。ぐるりと首を巡《めぐ》らせた直人は、その時になって室内にもうひとり見知らぬ人がいたのを知る。

「そのへんが使える人だったら、うちにバイトに来る気はない？」

シャツにチノパンというラフな格好をした、周防と同世代らしき男性だった。椅子に腰掛けた直人と目線を合わせるようにしゃがみ込んで、人懐こい笑顔を浮かべている。短くした柔らかそうな髪と、声と同じく柔和そうな表情が周防とは見事に対照的だった。

「……ええと。失礼ですけど、……どちらさまですか？」

「初めまして、清水といいます。周防の友達で、さっきのじいちゃん医者の孫でもあります」

はあ、と返しながら、ここでいきなり勧誘するかと呆気に取られた。似たようなことを思ったのか、視界のすみで周防が表情を歪《ゆが》めている。

「おい、清水。おまえ、何をいきなり——」

「おまえから連絡があった時、じいちゃん、大っ好きな刑事ドラマをかぶりついて観てたんだよねー。テレビの前から引き剝《は》がすの、苦労したんだよ？」

笑顔での返答は明後日の方角だったが、それで周防は返答に困ったらしい。今度は直人に笑顔を振り向けて、清水と名乗った男は言う。

「書類作成のバイトだけど、場所とパソコンはこっちが提供するよ。座り仕事だし、バイトの時間はきみの自由に決めていい。ただしバイト料は歩合で、書類一枚につきこんな感じ」

どこからともなく取り出した電卓を叩いて見せてきた。示された金額が高いか低いかは咄《とっ》嗟《さ》に判断できなかったが、「この足でもできるバイト」は大いに魅力だ。問題は、微妙に機嫌が悪そうな周防の様子と、目の前の相手の素性だった。

「ちなみに雇い主というか、バイト先の事務所の所長さんは僕です。周防はただの副所長だから、気にしなくていいよ」

「……やります。やらせてください、お願いします！」

つまり、清水は周防の上司だ。納得して即答すると、清水は嬉《うれ》しそうに笑った。

「了解です。さっそくだけど、明日の日曜、朝九時から来てもらえる？　写真はなくていいから、一応履歴書は用意して」

「はい、わかりましたっ」

「うっわ、いいなあ、すごい素直な返事！　うんうん、その調子でよろしくです。――ああそうだ、周防さ、今日はこのまま譲原くんを送っていくよね？　じゃあ、彼の自宅を覚えといて明日の朝九時前に迎えに行ってあげてくれる？　この足に杖で自転車は危ないしさ。あと、おまえさっきオートバイ使ったろ。危ないから、譲原くん乗せる時は車使って」

つらつらと清水が並べた内容を無言で聞く周防は、相変わらず無表情だ。それでも、微妙に辟易したふうなのが伝わってきた。

「……一応訊く。それは決定事項なのか」

「もちろん。早く車取って来なよ。遅くなると、譲原くんが疲れるだろ」

即答に、周防が無言で腰を上げる。大柄な背中が診察室のドアを出ていくのを見ながら、ついざまあみろと思ってしまった。

礼を言うべき状況なのはわかっていたけれど、どうにも周防への反発心が消えてくれないのだ。八つ当たり上等、人の恋路をひっかき回した罰だと思ってしまった。

「ここの支払いは明日でいいよ。履歴書と一緒に保険証も持ってきて」

「はあ。けど、事務所の住所を教えてもらったら、おれ自力で行きますけど」

「バスや電車は降りたあとでかなり歩くから却下。自転車も危ないから駄目ですー。ってことで、住所は秘密ね」

大真面目な顔で、清水は唇の前で人差し指を立てる。いい年をした男がやるには寒いはずの仕草が妙にマッチしていることに、直人は密かに感心した。

5

翌日曜日の午前中に迎えにやってきた周防の車で、直人はバイト先の事務所に出向いた。

どうやら出掛けに口止めされたらしく、昨夜にアパートまで送ってくれる間に訊いてみても、周防は事務所の住所どころか正式名称すら教えてくれなかったのだ。

単純明快でよかったんだと悟ったのは、周防の手と慣れない松葉杖に支えられて車を降りた時だ。目の前にあったビルの一階部分の窓ガラスに、大きな文字で「清水事務所」と書いてあった。ついでに気づいたのだが、ビルの名称そのものが「清水ビル」だ。

納得したあとで、そういえば例の観測会の時に、周防本人から「清水」というのは職場の名称だと聞いたのを思い出した。さらに数秒後、自分で自分に呆れる事実に気がついた。

——バイトを引き受けたはいいが、直人はこの「事務所」の正確な業種を聞いていないのだ。

事務所内部は、予想外に広かった。パーティションの手前は来客スペースらしく応接セットが置かれ、奥の方にはデスクが四つ、二つ並びを向かい合わせた格好で置かれている。目に入る壁際は天井まで届く書棚で埋められ、唯一残った窓際にはいくつかのソファが置いてあった。どうやらスタッフの休憩用らしく、そのうちのひとつには半分ずり落ちそうな姿勢の人影が転がっている。

「奥にあるドアは資料室だが、下手に入ると生き埋めになるから注意。簡易キッチンにあるものは好きに飲み食いしていい。——あの奥で寝てるのは、ここの正社員の竹本《たけもと》」

すらすらと言った周防が最後に示した窓際の人物は、顔の上に雑誌を広げて寝そべったまま、まったく反応しない。本気で熟睡しているのかと思った時、ふいに周防が声を張った。

「——竹本。起きて顔だけ見せろ。新しいバイトの譲原だ」

数秒後に、「竹本」と呼ばれた人の手が動いて顔の上からするりと雑誌をずらした。目許だけを覗かせて、狙ったように直人を見る。

「ふーん。譲原ね。よろしく」

素っ気なく言ったかと思うと、「竹本」は再び顔に雑誌を載せてしまった。呆気に取られた直人は返事をするひまもなく周防に呼ばれ、デスクのうちのひとつに座らされて、懇切丁寧に書類の扱い及び守秘義務に関する注意を受けることになった。

「この書類をデータ化する。明らかな誤字脱字は修正するが、不明な部分は原本に付箋とマーカーで印をつけて保留。――俺は資料室にいるから、何かあったら声をかけてこい」

言うなり、周防は先ほど「生き埋めになる」と説明した奥のドアに入っていってしまった。一方、「竹本」は相変わらずの無反応だ。

どういうバイト先なんだと思いながら、ざっと書類を確認した。デスクの上のパソコンを立ち上げ、ソフトを起動して書式を設定していく。こういう作業は得意なこともあってか始めてしまえば調子がついて、いつの間にか時間を忘れていた。

「……順調そうだな。何か問題は？」

「え、あ、いや別にっ！」

いきなりの声にぎょっと振り返ると、いつの間にか周防が真後ろにいた。パソコンのディスプレイと直人の手許にある原本と見比べたかと思うと、ぼそりと言う。

「用があってしばらく外す。何かあったら竹本に聞け。――竹本、あとを頼む」

「……へーい」

少々遅れ気味に窓際から響いた「竹本」の声をきちんと聞き届けたのかどうか、周防はあっという間に事務所を出ていってしまった。閉じたドアをぽかんと眺めていると、窓際のソファにいた竹本が起き出して伸びをするのが見て取れる。

きれいな人だなと、思った時にはついまともに目を向けていた。

同性に向かって使う形容ではないが、世の中には確かに男なのに——見た目はそれ以外の何者でもないのに、他の形容では表現できない人がたまにいる。

竹本と呼ばれた人は、まさにそれだった。襟足《えりあし》に届くか届かないかの髪はやや色が薄く、柔らかそうな癖がある。繊細そうな容貌はよくできたマネキンのようで、そのせいかおそろしく冷ややかな印象があった。

露骨に見とれていたせいか、ぱしりと音がしたかと思うほどわかりやすく目が合った。とたんに不快そうに顰められた竹本の顔が、それでも「きれい」だということに感心する。

「……何。この顔が珍しいかよ」

「あ、いや。珍しいっていうか、すごいきれいだなあと……その、それはそれで大変そうな気はしますけど」

「は？　何だよそれ。何が大変だって？」

胡乱そうにじろじろと眺められて、直人は少々反省する。——あんなふうに注視されれば、不愉快に思うのは当たり前だ。

「知り合いっていうか、友達の友達に美人扱いされる奴がいるんです。そいつが時々、見た目で中身まで決められるのは大迷惑で余計な世話だって、キレてるのを聞いたことがあるんで。すみません、つい見とれてました。以後気をつけます」

ぺこりと頭を下げる直人を見ていた竹本が、今度は眉を寄せている。また余分なことを言ったどろうかと頭の中で反芻《はんすう》していると、身軽そうにソファに座り直して口を開いた。

「……美人って、そいつ男かよ。自分から大変だって言ってるわけ」

「男です。でもって、おれが聞いたのは大迷惑で余計な世話だってところまでで、大変だっていうのはこっちの勝手な想像なんです。その、おれ、自分が何かと平均すぎてドッペルゲンガー扱いされるんで、そういうのってよくわからないんですよ」

つるっと漏らした言葉が気になったのか、竹本はさらに眉を顰《ひそ》めた。

「ドッペルゲンガー？　何だそれ。どうしてそうなるわけ？」

「背格好もそうなんですけど、平凡ていうか十人並みっていうか、ふつうにどこにでもいる顔らしいんです。おかげで、よく知り合いと間違われます。それも親しい相手じゃなくて、疎遠になった幼なじみとか、昔クラスにいたけどろくに話した覚えがないクラスメイトとかなんですよねー。おまけに卒業アルバム見せてもらったら、肝心の相手とはまるっきり似てなかったりします」

「――――」

黙ってこちらを見ていた竹本が、今初めて直人の顔を認めたとでも言うように何度か瞬《しばたた》く。

それへ、肩を竦めて続けた。

「全国指名手配になった時に有利じゃないかって言われたこともありますよ。絶対、時効まで逃げきれるって太鼓判押されました」

「ああ。……そうかもな」

まじまじと眺められたあげく深く頷かれて、少しばかり微妙な気分になった。首を竦めて仕事に戻ろうとした時、ふいに竹本が声音を変える。

「なあ。おまえ、コーヒーとか飲める？」

「飲めます。あ、おれがやりましょうか。そこの簡易キッチン、使っていいんですよね？」

「パス。怪我人使う趣味はない。完治してからよろしく」

身軽に簡易キッチンに立った竹本は、当たり前のように二人分のアイスコーヒーを用意して、トレイごと直人のデスクの上に置いた。恐縮して礼を言った直人が念のために積み上がった書類を移動させていると、引き寄せた椅子に逆向きに腰掛けて真正面からこちらを見る。

「譲原、だったよな。周防サンとは前からの知り合い？」

「初めて口利いたのは三日前ですよ。顔だけなら、半年前から見て覚えてましたけど」

「顔だけ覚えてるって、何で？」

「あの人、目立つじゃないですか。上から下まで真っ黒だし、サングラスまでついてることがあったし。もしかしてやばい系の人なんじゃないかと、遠巻きに警戒してたんですけど……まさかここってそっち系だったりしませんよね？」

九割は周防への腹いせに、残り一割は本音で訊いてみると、組んだ腕に顎をのせていた竹本は、アイスコーヒーのグラスを手にぐっと噎《む》せた。軽く咳込《せきこ》んだあとで、面白そうに笑う。

「だったらオレはここにいないね。けど、前半は思い切り賛成というか同意。でかくて迫力あんのに喋らない笑わないで、思考回路がブラックボックス並みなんだよな、あのヒト」

無口な人かと思ったら、どうやらそういうわけでもないらしい。喋って笑ったとたんに、竹本の印象は「きれい」から「可愛い」に変わった。この笑顔が四六時中傍にあったなら、きっと人生楽しいに違いないとつくづく思う。

「そんで？　何がどうなってウチでバイトすることになったわけ」

「どう、って」

「この事務所って、原則的に求人かけないんだよ。正社員もバイトも縁故しか雇わない。周防サンと知り合って三日目の譲原が何でバイトに来たか、非常に興味がある」

「……はあ」

文字通り興味津々に訊かれて、大まかに説明する羽目になった。もちろん、恋愛沙汰の部分は友人同士のトラブルに差し替えだ。

きれいな顔でうんうんと頷く竹本に話しているうちにいい具合にいろいろ緩んできて、直人はどうやら自分がそれなりに緊張していたのを自覚する。

話の流れで聞いたところによると、竹本は現在二十五歳でこの事務所の正社員なのだそうだ。「興味本位なんだけど」の枕詞つきで、直人の大学でのことを諸々訊いてきた。一通り話したところで満足したらしく、直人の手からからになったグラスを取って腰を上げる。

「邪魔して悪かった。これで休憩終わりな」

「いいですよ。どっちみち歩合制なんで、サボりじゃないですし。それより、おれの方が竹本さんの邪魔をしたんじゃないですか？」

躊躇《ため》いがちに言うと、竹本はトレイを手に肩を竦めた。

「オレは休み。ここには寝に来ただけ。譲原は仕事頑張れ。あと、所長が来たら起こして」

「所長って、清水さん……ですよね？」

「そう、それ。よろしく」

きれいな笑顔で言って、竹本はグラスを簡易キッチンに片づける。そのあとは元通り窓辺の席に戻って、またしても雑誌を顔に載せてしまった。

事務所内はやけに静かで、直人がキーボードを叩く音が聞こえるばかりだ。おかげで、事務所のドアが開く音がはっきりと耳についた。

「ごめん、遅くなった！　譲原くん、おなか空《す》いたよねー？　あれ、周防はどこ行った？」

「あ、……こんにちは。えーと、周防先輩……は用があるとかで、外に」

昨夜にも思ったことだが、清水の物言いはどうにも緊張感を削《そ》ぐ。おまけにここは職場だろうに、昨夜と同じ半袖シャツにチノパンというずいぶんラフな格好をしている。振り返って笑ってしまった直人に、彼はわざとのように顔を顰めてみせた。

「何の用かなー。まさか買い出しってことはないだろうし。――あ、これお昼ね。一緒に食べようよ」

「ありがとうございます。けどおれ、弁当作ってきてるんで」

「え、嘘。自分で作れるんだ⁉」

大仰《おおぎょう》に目を見開かれて、とんでもないことを言ったような気分になった。そんな直人をまじまじと眺める清水の手には、某ケータリング店の袋が下げられている。

「そっ、かあ……あ、でも一緒に食べてくれるよね？　四人分、買ってきてるしさー」

「――約束あるんで、オレはもう出ます。今日はもう来ませんので」

割って入った声に目をやると、いつの間にか竹本がすぐ傍にいた。手にした携帯電話を無造作にポケットに押し込んで、清水の背後をすり抜けていく。

「え、待ってよー。四人分って、竹本くんのも込みなんだよ？」

「それはどうも。じゃあお先に。――譲原、またな」

「はあ。……お疲れさまです」

反射的に答えた直人には指先だけ振ってみせて、竹本は事務所を出ていってしまった。じーっとそれを見送っていた清水の背中は、見るからに悄然《しょうぜん》としている。

清水はこの事務所の所長で、竹本は一スタッフのはずだ。いったいどういう力関係なんだと呆気に取られていると、清水が絞り出すようなため息をついた。

「譲原くん、本当に才能あるよねえ。大した人ったらしだ」

「は、……？」

　ぽかんとした直人をよそに、清水はケータリングボックスを応接セットのローテーブルに置きに行った。デスクについたままの直人を振り返って続ける。

「周防だけでも大したもんなのに、初日に竹本くんまで誑《たら》し込んでるよねー？　凄《すご》いなー。竹本くんなんか、未《いま》だに僕に懐いてくれてないいんだよ？」

「たらしこんで、ますか？　おれ」

　疑問符だらけで口にしたのと重なって、入り口ドアが再び開く。入ってきたのは噂の周防で、今しも脱いだばかりのようにヘルメットを抱えていた。その周防に「お帰り」と満面の笑顔を向けて、清水は同じ顔で直人を振り返る。

「そう。見事な誑しっぷりだよねえ。あれは一種の才能だと思うよー？」

　これは揶揄なのか、それとも天然で言っているのか。判断に迷っていると、周防が長いため息をつくのが聞こえた。

「……清水。念のため言っておくが、それは誉《ほ》め言葉じゃないぞ」

「え、何で？　人に警戒心を抱《いだ》かせないって、誰にでもできることじゃないよ？　周防を手なずけただけでも表彰もののなのに、竹本くんまでとなったら国宝級だろ」

「表彰だの国宝だのとおまえが決めるのは勝手だが、本人に逐一申告するな。――おまえも」

　視線を向けられて思わず姿勢を正した直人に、嚙んで含めるように言う。

「清水の言うことをいちいち真に受けるな。日本語の使い方がおかしい奴だと思っておけ」

「うっわ、ひどい言い方するなあ。まあいいや、ひとまずお昼にしようよ」

にこにこと笑う清水は、言葉の割に気にしたふうもない。

この面子で昼食かと少々怯《ひる》んだけれど、郷に入っては郷に従えだと観念することにした。

ローテーブルに広げられたケータリングボックスの中身は、サンドイッチと彩りのいい料理の数々だった。見ただけで贅沢気分を味わいながら、直人は持参の弁当箱を広げる。

「そういえば譲原くん、前のバイト先に話は通した？　慰留とか、されてない？」

清水が言い出したのは、三人がそれぞれ箸を取って間もない頃だ。

怪我に加えてたびたび阪井と顔を合わせるのも面倒だから、「エル」でのバイトはやめることにしたのだ。足が治ったら、また新しいバイトを探すつもりだった。

「足がこれだし、仕事にならないからやめるって連絡はしました。けど、完治するまで休み扱いで保留にしておくから、もう一度考えてくれって言われて」

「それは困るなあ。うちは卒業まで続けていてほしいんだよねー。アウトドア系でも接客系でも希望があれば仕事は回すから、前向きに考えてくれないかな」

斜向《はすむ》かいに座った清水に首を傾げるように懇願されて、直人は苦笑した。

「そこまで言うのは早くないですか。おれ、まだ半日も働いてないですよ？　あと、ひとつ確認いいですか。ここってどういう事務所なんですか？」

今日任された「書類」はどう見ても医療関係のものだったが、事務所内を見渡す限りそちら系の業種だとは思えないのだ。書棚にある本も植木剪定《せんてい》から重機の扱い方に店頭販売員の心得に営業ノウハウにペットのしつけに関する本と、まるっきり統一性がなかった。

「周防、教えてあげてなかったの?」

目を見開いた清水が、咎《とが》めるように周防を見る。それを見返して、周防が呆れ顔になった。

「——おまえこそ、昨夜のうちに説明しなかったのか?」

「えー、だって譲原くんともともと知り合いだったのって周防だよね? それなら周防が責任持って面倒見るべきで」

「その知り合いを差し置いてバイトを勧めたのは誰だ」

始まった言い合いは、見事に焦点がずれている。それで、直人はわざと口を挟んだ。

「さっき聞いた感じ、人材派遣っぽい感じでしたよね。そういう解釈でいいんでしょうか」

「似てるけど、ちょっと違うかなー。僕がやってるのは『何でも屋さん』だから」

「便利屋と言っておけ。その方が一般的だ」

喜色満面で答えた清水に、呆れ顔で周防が言う。それで、すとんと納得できた。

「了解です。……あ、そうだ。履歴書なんですけど、忘れる前にお渡ししていいですか?」

返事を待たず、鞄のポケットから封筒を引き出して、清水に差し出した。

「ありがとう。拝見するね」と笑った清水が、食事の手をいったん止めて、折り畳んであった履歴書を広げる。ざっと眺めたかと思うと、急に言った。

「あれ。譲原くんの名前、ナオトじゃなくナオヒトって読むんだ?」

「そうなんです。父親が某東北のプロレス集団のファンで、昔の漫画も大好きだったとかで」

「あー、あれか。昔にアニメにもなってたやつだよね? 懐かしいなあ……そういや、東北にそのままの名前でコスチュームもそのものだったレスラーがいたよね」

即答した清水は、続いてそのもののタイトルを口にした。わかっているのかいないのか、周防は無言で食事をするばかりだ。

「だけど、あのアニメの主人公はナオトじゃなかったっけ」

「それが、母親はプロレスもその漫画も苦手だったんです。母親はおれをその名前で呼びたくなくて、父親はあの主人公の名前をつけたくて、さんざん話し合った折衷案がそのフリガナだったってことで」

「なるほど。そういうことかあ」

納得したように頷いた清水が、再び履歴書に落とした目を細めた。躊躇いがちに言う。

「ごめん、ひとつ確認いいかな。譲原くん、一人住まいだって聞いたと思うんだけど、緊急連絡先住所ときみの現住所が一緒になってるのはどういう……?」

「両親が離婚してるんで、実家がないんです。緊急連絡先のナンバーが母親の携帯なので、本当の緊急時のみ連絡してください」

即答に清水は首を傾げ、周防は手を止めて視線を向けてきた。それへ、直人は言う。

「両親とも再婚してるしおれも一応成人したんで。できるだけ面倒はかけたくないんです」

「あ、……そうなのか。ごめん、余計なことを訊いたね」

こっちはすらりと言ったのに、清水は目に見えて困惑したようだった。直人を見る目の深刻そうな色はもう馴染《なじ》みのもので、つい笑ってしまった。

「別に、揉めたわけじゃないですよ？　夏休みとか年末年始にも、両方の家に帰省させてもらってますから。向こうの妹とか弟も懐いてくれてるし」

「……そうなんだ？」

「この際なんでぶっちゃけますけど、うちの両親に別れるように勧めたのはおれなんです。何ていうか、おれのことはどっちもすごく気にかけてくれてた反面、両親同士はお互い無関心っていうか、たまたま一緒に住むことになった他人、みたいな雰囲気になってて」

いったん言葉を切って、直人は言う。

「おれが成人するまで現状維持の予定だったんですけど、それまでずっと間に挟まってるのはきついと思ったんです。それで全寮制の高校を受験して、合格して寮に入ることに決まった時点で別れることになったっていうか。もちろん話し合いもして、おれが大学を卒業するまでは両親に助けてもらうことになってます」

神妙な顔で聞いている清水とは対照的に、周防は表情の読めない顔で見ているばかりだ。

思いついたように、ぼそりと言った。

「……結果的に一人住まいなのには理由はあるのか?」

「どっちも通うには新幹線の距離なんで、交通費とか考えたら仕送り頼んでバイトした方が安くつくんです。再婚先には弟も妹もいるし、仕送り頼むにも最低限度にしておきたかったんですよ。その方が、おれが気楽なんで」

「そっかー。それだと確かに、バイトできないのは困るよね」

「そんなとこです。なので、気にしないでください。おれも気にしてませんので」

頷いた清水は、さすがに切り替えが早かった。

「緊急時のみの連絡先、了解。その代わり、譲原くんの携帯は必ず連絡がつくようにしておいて。――で、もうひとつ訊いていいかな。そのオムレツ、手作り?」

ひょいと弁当箱を覗き込む清水の顔つきに、直人は笑う。食べかけの弁当箱を差し出した。

「中身、エリンギとベーコンとアスパラです。オムレツにはまだ手をつけてないし、今朝焼いたやつなんで。よかったらどうぞ」

「え、いやあの、催促した……みたいか、やっぱり」

「みたいじゃなくて、もろに催促だろう」

ぼそりと言った周防の頭を慣れたふうに押しやって、清水はすまなそうに直人を見る。

「ごめん、そのすごい美味《おい》しそうだったんで……じゃあ、もらっていいかな? その代わり、譲原くんもこっち、好きなだけ摘《つま》んで？」

「ありがとうございます。遠慮なくいただきます」

そこからは、何やら和気藹々《わきあいあい》の昼食会になった。周防はろくに喋らなかったが、清水の方は話題も表情もずいぶん豊富なようで、つられて直人も笑顔と言葉がこぼれた。

周防のことはともかくとして、それなりに恵まれたバイト先になりそうだ。清水のおすめだという酢豚に箸を伸ばしながら、直人は安堵《あんど》した。

6

事務所でのアルバイトは、なかなか快適だった。

何しろ、空調の効いた事務所でデスクについて自分のペースで仕事ができるのだ。事務所の主のごとくいつも窓辺で昼寝している古参スタッフ――竹本とはすぐに親しくなれたし、他にもたびたび出入りするバイトを含むスタッフとも顔見知りになった。何を思ってか、清水などは直人の顔を見るたび差し入れと称して菓子や弁当をくれたりする。

ここでバイトを始めてちょうど一週間目の今日は、珍しいことに直人ひとりだ。いつもの窓辺で雑誌を読んでいた竹本は、三時間ほど前に電話で呼び出されて出ていってしまった。

見上げた壁の時計は、二十三時を回っている。ため息混じりにさらに三ページ分の打ち込みを終えた時、事務所のドアが開く音がした。

「――おまえか。どうしてまだここにいる？」

声だけで、それが周防だとわかった。一拍の間を置いて振り返ると、半開きのドアに手をかけて、上から下まで黒ずくめの周防がヘルメットを小脇にして立っている。

保存した文書を終了させながら、直人は意識して丁寧な口調を保った。

「バイトしてました。八時過ぎまでは竹本さんがいましたけど、呼び出しがあって出かけてます。おれ、ここの鍵持ってないし、開けっ放しで出てくとまずいと思って」

パソコンの電源を落としながら、印をつけた手書きの書類を所定のボックスに差し込んだ。携帯電話をポケットに押し込み、立てかけていた松葉杖と上着を手にして、直人は席を立つ。

「じゃ、おれはこれで帰ります。戸締まりよろしくです」

周防の傍をすり抜けて出入り口へ向かった直後、足許が崩れてすっ転びそうになった。

「わ、……！」

声を上げたのと、横から伸びてきた腕に腰を掬《すく》われたのがほぼ同時だった。

「大丈夫か。足は？」

「え、あ、うー……と、ども。ありがとうございます」

「いや」と返った声の近さにぎょっとして、周防に支えられていたのに気がついた。泡を食って離れようとしたとたんに大きくバランスを崩して、かえって周防の腕に凭れる形になる。

「おい。無茶するな」

「あ、いえ大丈夫なんで！　どうもすみませ——」

言いかけた声を、今度はぐりゅぐりゅという腹の虫の音に遮られた。そういえば夕食を食いはぐれたと思った時、耳許で呆れたような声がする。

「……腹が減ってるのか。何か食いに行くか？」

「行く！　じゃないや、連れてってもらっていいですかっ？」

食らいつくような気分で、喜色満面に顔を上げていた。少し驚いたような周防の顔が目に入って、そういえば相手はこの人だったと思い出す。

清水が顔を出さなかった今日は差し入れがなくて、昼に自作弁当を食べたきりなのだ。空腹だったとはいえ、あれだけつんけんしていた相手にコレはないだろうと恥入っていると、数秒の間合いのあとで苦笑混じりの声がした。

「これからだと近場になるが、それで構わないな？」

瞬いて顔を上げるなり、まともに周防と目が合った。「行くぞ」と肩を押されて、見事に前言撤回のタイミングを失う。

周防について出た外は、とっぷりと深夜に沈んでいる。周防が事務所の出入り口の施錠を終えるのを待って、直人は潜めた声で言う。

「えっと、どこ行きます？　場所だけ教えてもらっていいですか。おれ、自転車なんで」

「一緒にメシなら乗って行け。第一、その足で自転車は無茶じゃないのか？」

「結構平気ですよ？　右足はペダルに乗っけてるだけだし」

　バイト二日目からは、直人は自転車で通っているのだ。松葉杖はマジックテープで自転車本体に縛り付け、怪我をした方の足は力を入れずにで、どうにかこうにかなっている。

「いいから車に乗れ。自転車を先導する気はないんだ」

　呆れ声で言われて、それもそうかと頷いた。乗り込んだ助手席から運転席の横顔を盗み見て、そういえば周防の顔を見るのは久しぶり――バイト初日以降、二度目だと気づく。

　いったいどういう依頼をこなしているんだと、ちくちく好奇心が湧いた。

「便利屋」というからには何でも請け負うのだろうと思ってはいたけれど、直人がこれまで小耳に挟んだ「依頼」は、呆れるまでに千差万別だったのだ。三時間ほど喫茶店を手伝ってほしいに始まって、半年前の落とし物を見つけてほしいだとか、とっておきのプロポーズをしたいから舞台づくりを頼みたいとか、さらには数年前に絶縁した兄弟を見つけたいというものもあって、清水が言った「何でも屋さん」は、まさしく言い得て妙だと思う。

　十分ほど走った車が滑り込んだ場所は、先週までの直人のバイト先――二十四時まで営業しているカフェレストラン「エル」だ。

　微妙な気はしたものの、この時刻に開いている店は少ない。おそらく周防は直人の元のバイト先を知らないのだろうと、あえて気にしないことにした。

周防に開けてもらった扉から松葉杖を手に店内に入ると、カウンターの奥から店長が出てくる。直人を見るなり意外そうな笑顔になった。

「いらっしゃいませ……譲原くん？」

「どうも。この前は、勝手言ってすみません」

「いやいや。足の具合はどうかな。やっぱり復帰する気はない？」

「ありがとうございます。けど、もう別のバイトを紹介してもらうことになってるんですよ」

直人が笑顔で言うと、店長は落胆したような顔になった。そのあとで、傍らの周防が直人の「連れ」だと気づいたらしく、急いで窓際の席に案内してくれた。

「……場所が悪かったか？」

「や、いいですよ。ちゃんと話はついてるし、今は阪井さんもいないみたいだし」

オーダーを終えたあとでぼそりと言った周防は、ようやく事情に気づいたらしい。直人の返事に軽く頷いたと思うと、「すぐ戻る」と言い置いて席を立った。

そういえば、客としてテーブルについたのは初めてだ。新鮮さに周囲を見回していると、親しくしていたバイト仲間が料理を運んできた。周防が消えた洗面所の方角を眺めて言う。

「なあ、連れの人、誰？　何か怖そうなんだけど」

「新しいバイト先の人。見た目ほど怖くなさそうだよ。メシに誘ってくれたの向こうだし」

「そうかあ？」と首を傾げて、彼は手際よくテーブルにハンバーグセットのプレートとパスタセットを並べていく。

「ナオさ、本気で戻ってこない気？　店長、未練たらたらなんだけど」

「それが、もう次のバイトに入っちゃってるからさー。この足でできる仕事回してもらってるのを、治ったからやめますってのは不義理じゃん？」

包帯とサポーターでゴツくなっている足を差し出して言うと、バイト仲間は直人が傍らに置いた松葉杖を眺めながら神妙に頷いた。

「そっか、残念。ナオがいたら、もー少しここの空気も穏やかになってた気がするんだけど」

「え、何それ。また何かあったんだ？」

「こないだ発覚した新事実。阪井チーフと絵美《えみ》ちゃん、つきあってるんだってさ。絵美ちゃんて、店長のお気に入りじゃん？　そんで、店長も本気で面白くなくなったらしい」

絵美というのは、二か月ほど前からバイトに加わった女子大生だ。彼女のまだ幼い顔立ちと肩に届くストレートの髪を思い出しながら、直人は何となく腑《ふ》に落ちた気分になる。

「そうなんだ。いつ頃からで、どこ情報？　ガセってことはない？」

「一か月近く前からで、情報源は絵美ちゃん本人。なあ、信じられる？　チーフってとっくに三十路《みそじ》だろ？　そんなん犯罪じゃねえ？」

「阪井チーフはまだ二十代じゃないかな。……ふーん。そうだったんだー」

いつかの締め出しにしろその翌日の別れる宣言にしろ、どうも唐突で違和感があると思ったら、つまりそういうことだったわけだ。

直人がこっそり息を吐いたタイミングで、周防がこちらに向かってくるのが目に入った。すぐに気づいたらしく、仕事仲間はトレイを手にすっと居住まいを正す。

「足治ったらさ、遊びに行かね？　メールしていい？」

「了解。落ち着いたらこっちからも連絡する」

彼と入れ替わりに周防が席につく。それを待って、ハンバーグプレートに手をつけた。

ひたすら無言で食べていたと気がついたのは、プレートをからにしたあとだ。まだ食事中の周防に気づかれないよう横目で眺めながら、悪いことをしたと今さらのように思った。

結局のところ、周防のことは阪井にとって体《てい》のいい口実だったわけだ。経緯を思えば無礼だったのは阪井と直人の方で、なのに周防は一言もこちらを責めなかった。

要するに、周防がきちんとした大人なのに対して、直人はまだ子どもだということだ。

帰りの車中で自己嫌悪に陥っていた直人は、フロントガラスの向こうの景色に違和感を覚えて瞬いた。

「道、違いませんか？　事務所はあっち――」

見覚えた風景は直人のアパートに向かう途中のものだ。そして、事務所はアパートとはまったくの別方向にあるのだ。

「この時刻にその足で自転車は危ない。アパートまで乗っていけ」

「でもおれ、自転車がないと明日困るんです。松葉杖だと通学がきついんで」

即答で抗議すると、運転席の男は横顔で言う。

「自転車は、明日の朝までにはアパートに届けてやる」

「いや、そこまでは申し訳ないですす。周防さんが帰るのが遅れるじゃないですか」

「まだ仕事中だ。確認待ちの時間潰しにやるから気にしなくていい」

素っ気なく言う周防は、直人の視線に気づいているはずなのに表情を変えないままだ。それを見ながら、疑問がぽんと破裂した。

「周防さんて、今、何の仕事してるんですか。確認待ちって何ですか？」

「人を探してるんだ。今は別働隊が裏を取ってる」

「べつどうたい、って何ですかそれ……人探しって、初恋の人を見つけてほしいとか？」

思いつきを口にするなり、周防の横顔が笑ったように見えた。

「今までのところ、そういう依頼はないな。今は、家族の依頼で家出人を探している。――別働隊ってのはうちのスタッフ連中で、方々《ほうぼう》に散って情報収集している」

「はー……でも、家出人とか失踪人てそんな見つかるもんですか？　何か難しそう」

「情報収集力と機動力次第だな。うちは別働隊に加えて、同業者との連携もあるのが強みなんだ」

わかったようなわからないような気分で頷いた時、車は直人のアパートの前で停まった。

「連絡待ちまで、まだ時間あります？　だったら、うちでコーヒーとかどうでしょうか」

いきなりの申し出がよほど意外だったのか、周防はぽかんとしたようにこちらを見た。

無表情を崩したことに、直人は内心でにやりとする。

「この間、親がちょっといいコーヒーを送ってくれたんです。インスタントよりはましだと思うんで、眠気覚ましに一杯飲んでいってくれませんか？」

7

「——望遠鏡はないんだな。双眼鏡派なのか？」

キッチンでコーヒーを淹《い》れた直人が部屋の真ん中のローテーブルに戻った時、周防が口にしたのはその言葉だった。

きょとんとしたあとで周防の視線を追って、それが壁際の本棚に固定されているのに気がついた。

狭いワンルームが珍しいのか、直人の部屋に入ってきた周防は、ずっと物珍しげに室内を眺めていた。それで、本棚の中段にあった大型の双眼鏡が目についたらしい。

「望遠鏡は買わなくても身近にあったんですよ。中学までは親父《おやじ》のがあったし高校も機材が充実してたし、大学のサークルも望遠鏡とか揃ってるじゃないですか。その双眼鏡は、父親からの大学合格祝いなんです。あんまりでかいんで、ちょっと持て余してるんですけど」

何しろ、片手では持て余す大きさと重さなのだ。双眼鏡が欲しいと言ったのは事実だが、個人的には鞄に突っ込めるサイズをイメージしていたので、届いた時には唖然《あぜん》とした。

「確かにでかいが、ものはいいんじゃないか？」

「ものも値段もいいですよ。けど、でかい上に重いんでなかなか持ち出せなくて、せいぜい近くの河川敷《かせんじき》に行って使う程度なんです。……よかったら、ちょっと触ってみられます？」

何げなく言った直人に大真面目に頷いて返す周防を見て、つい笑いそうになった。マグカップをテーブルに置いてから、棚の上にあった双眼鏡を周防に差し出す。

恭《うやうや》しい手つきで受け取った周防がためつすがめつしているのを眺めながら、直人はその向かいに腰を下ろした。やけに真剣な横顔に、この人は本当に星を見るのが好きなんだなと思う。

「……あのですね。ひとつ、周防さんに謝らせてもらってもいいでしょうか」

「何を？」

短く言う周防は、双眼鏡に視線を落としたままだ。それへ、直人は先ほどバイト仲間から聞いた話を——どうやら周防はこちらの事情に巻き込まれただけだったらしいと説明する。

「今さらですけど、おれ、ずっと態度悪かったと思うんで。その……すみませんでした」

ひょこんと頭を下げてから顔を上げると、周防はいつの間にかじっとこちらを見つめていた。長い指先でそっと双眼鏡を撫《な》でながら、落ち着いた声音で言う。

「……で？　まだ、あの男に未練はあるのか」

「そんなもん、ありませんて。正直、そろそろ潮時かなーと思ってたとこだったんです。そりゃ、そっちから見れば男同士の恋愛なんか不毛以外のナニモノでもないでしょうけどねっ」

言い返す言葉に、揶揄が混じって棘《とげ》が生えている。

「どっちにしても、ちょっと懲《こ》りました。当分、恋愛とかはやめておきます」

同性同士の関係が、傍目《はため》に奇異に見えるのは最初から承知の上だ。自分なりにぐるぐる悩んで、それでも「そう」なのだから仕方がないと開き直った。

けれど、できれば放っておいてもらいたかったのだ。これが最後の皮肉のつもりだった。

周防は、しかし怪訝そうに眉を上げて直人を見た。

「そっちじゃない。恋人を殴るような男とつきあうのは不毛だと言ったんだ」

「……へ？」

「部屋から締め出されていた時。おまえ、顔を殴られてただろう」

予想外の台詞にぽかんとしていると、周防は双眼鏡をテーブルに置いて、今度はカップを手に取る。美味しそうに飲みながら続けた。

「男同士云々は俺には理解できないが、恋愛は個人の自由だ。外野がどうこう言うことじゃない」

「……え……でもその、阪井さんに文句言ったって――」

「いくら恋人でもあんな時刻に荷物を取り上げたまま締め出しをするのはどうかと思ったし、近所迷惑だからそう言っただけだ。ついでに、丸聞こえの件も忠告した」

「まるぎこえ……」

何度聞いてもインパクトのある指摘に首を竦めてから、直人はそろりと言う。

「じゃあ、その……周防さんは、別に気にしないとか？」

「何を気にするんだ。俺には関係ないだろう」

平淡な物言いが、新鮮に聞こえた。同時に、ずっと胸にのしかかっていた重みがほんの少しだけ軽くなったと思った。

「えーと……その、ありがとう、ございます……」

「何がだ」

直人の言葉に、周防は不思議そうな顔になった。構わず「へへ」と笑っていると、今度は胡乱そうな目を向けられる。

その時、耳覚えのない電子音が鳴った。

携帯電話を取り出した周防が、低く受け答えをする。通話を切るなりマグカップのコーヒーを飲み干すと、改めて直人を見た。

「悪いな。呼び出しだ」

「あ、いや。こっちこそ、引き留めてすみません」

つられたように腰を上げて、直人は周防について玄関に出た。

でかくてごつい靴を無造作に履きながら、周防は今気がついたように直人の足許を見る。

「杖なしで歩いて構わないのか？」

「サポーターと包帯してる限り、痛みはほとんどないんですよ。医者に言われたんで一応杖は持ち歩いてますけど、もう一週間なんで週明けには返しに行きます。あとは様子見て、包帯も外してみようかと」

「そうか」と返した周防が、不自然に黙る。首を傾げた直人に、躊躇いがちに言った。

「来週末に星見の予定があるんだが、おまえ、一緒に行く気はあるか？」

「へ？」

「社会人サークルというか、要するに知人友人の集まりなんだ。土曜の夜に出て、日曜の明け方に帰るスケジュールになる」

サークルと言っても学校のような組織的なものではなく、知り合い同士で同じ場所に星を見に行きましょう、という緩いものなのだそうだ。社会人限定で年齢層も広く、基本的にはそれぞれ自分持ちの機材を使っててんでんばらばらに星を見るのだという。

「すごい行きたいですっ！　でもおれ、まだ学生ですけど」

「友人枠なら学生も可だ。セッティングができるなら、不慣れなメンバーの補助を頼みたい。

その代わりと言っては何だが、補助が終わったあとは好きなだけ望遠鏡を使わせてやる」

「まじですか。行きます、ていうか連れてってくださいっ」

何でも、周防はその集まりのまとめ役のひとりなのだそうだ。この愛想のなさで務まるのかと他人事《ひとごと》ながらに思った時、周防が口の端で笑う。

「土曜の二十時に迎えに来る。せっかくだから、双眼鏡も持って来るといい。足の方は一応診てもらって、結果を教えてくれ。具合次第で配慮する。——念のため、連絡先を教えてもらって構わないか？」

「もちろんです！　ありがとうございますっ」

飛び跳ねるような気分で答えて、周防と連絡先を交換した。玄関ドアの隙間から周防の車を見送ったあとで、直人はふっと気づく。

——この間の天体観測会で、大学のサークルでまともな観測会ができないのを愚痴ったのだ。周防はそれを覚えていて、声をかけてくれたのかもしれない。

「……へへ」

ローテーブルの上の双眼鏡を手に取って、直人はベッドに座り込む。

まともな観測会は、ずいぶん久しぶりだ。この時季に見える星をひとつずつ思い出すだけで、頬が溶けるように緩んでいった。

8

　本格的な野外での天体観測会に参加するのは、ずいぶん久しぶりだ。

　きれいに晴れた夜空を見上げながら羽織っていた上着の襟をかき寄せた時、ポケットの中で携帯電話が震えた。手が空いていたのを幸いに、直人は通話をオンにする。

『今は誰のところにいる？』

　名乗りも前置きもない一言は周防のもので、つい苦笑していた。それを声に出さないよう注意して、直人はほんの数メートル先で三脚に設置された望遠鏡を熱心に調整している年輩男性を眺める。

「丸山《まるやま》さんご夫妻のところです。もうじき調整は終わると思いますけど、次はどこに行ったらいいですか？」

『いい。そこにいろ』

　最初の一言と同様に素っ気ない声で用件だけ告げて、通話はあっさり切れた。

　連絡先を交換してから知ったことだが、周防の物言いはいつも端的だ。機嫌がどうこうではなく無駄に話すつもりがないだけだと、今の直人にはうっすらわかってきていた。

「ナオくん、これでどうかねえ？　だいぶうまくいったように思うんだがね」

携帯電話をポケットに押し込んだタイミングでかかった声に応じて、直人はすぐに年輩男性——丸山の傍に行った。場所を譲ってもらい、望遠鏡を覗いてみる。視界の真ん中に別名「秋のひとつ星」——フォーマルハウトを捉えているのを確かめて、すぐ横で様子を窺《うかが》うようにしていた丸山に笑顔を向けた。

「大丈夫です。ピントも合ってますし、十分ですよ」

「そうか。うんうん、じゃあ、その要領でよかったんだな」

満足そうに頷く丸山は、スポーツ刈りにしたごま塩頭が似合う、見事なまで背すじが伸びた人だ。半年ほど前に長年勤めた会社を退職し、その記念に夫婦で出かけた旅行先でふらりと足を向けたプラネタリウムに魅了された。旅行から帰るなり望遠鏡一式を購入し、自己流で勉強していた時にこの社会人サークルを知ったという。

「できたの？　見せてもらっていい？」

嬉々《きき》として望遠鏡を覗き込んでいた丸山に、少し離れたところで持参の双眼鏡で星団を見ていた彼の妻が声をかける。きれいに結い上げた髪ごと首までを覆ったスカーフを片手でかき寄せると、自慢げに場を譲った夫の横で望遠鏡に目を当てて、嬉しそうな歓声を上げた。

和気藹々とした夫婦の様子を半歩下がって眺めながら、大学のサークルでの後輩たちを思い出して、何となく頰が緩んでしまった。

入学から半年経った今もサークルに残り、なおかつ直人についてくる一年生部員のほとんどが初心者だ。最近はそれなりに望遠鏡の扱いを覚えたものの、最初の頃はあんなふうにひとつうまくいくごとに満面の笑顔を見せてくれた。

「——丸山さん。すみません、そろそろ譲原……ナオくん、を返していただいて構いませんか」

前置きもなくいきなり背後から聞こえた声に、ぎょっとしてその場で飛び上がりそうになった。斜面に近い草地は当然のことに滑りやすく、まずいと思った瞬間には右足がずるりとあらぬ方向に動く。ひやりとしたその直後に、背後から誰かが直人の二の腕を掴んでいた。

「足許をよく見ろ。大丈夫か？」

「……ども。ありがとうございます、助かりました」

声だけでそれが周防だとわかって、何となくほっとした。

「ええ、ナオくん、行っちゃうの？」

最初に不満そうに言ったのは丸山の妻の方だ。望遠鏡の調整中ずっと双眼鏡を使っていた彼女は、直人の手が空いた隙を見つけては星団探しに勤《いそ》しんでいた。

妻の声につられたように、丸山は懐中電灯を手にした周防を眺めて言う。

「いやあ、できればナオくんにはもうちょっといてほしいんだがねえ」

「すみませんが、そろそろこいつにも自由時間をやってください。必要がある時は連絡いただければ、俺が手伝います」

「……ああ、そうか。そういえば、ずっと手伝ってたんだったか」

「そうなの？　じゃあそうしてあげないと」

周防の言葉で状況を思い出したのか、丸山夫妻はあっさりと退いてくれた。暗い中でも笑顔で直人に礼を言い、別れ際には手まで振ってくれる。

それにお辞儀を返して、直人は周防について草地の踏み分け道を歩き出した。

「周防さん、腕――おれ、もう平気なんで」

「また転んだらどうする。あと一週間は要注意だと言われただろう」

即答した周防は、直人の腕を取ったままだ。視界対策に赤いセロファンを貼った懐中電灯の光を足許に当てながら、迷いのない足取りで進んでいく。

土曜日の今日、直人は周防の誘いで、社会人サークルの天体観測会に初参加した。場所は車で二時間ほどかかるハイキングコースとして知られた小高い山で、メンバーは山頂に向かう道々にある待避所や駐車場に、それぞれ散って好きなように観測している。サークルではたびたびこの山に来ているとかで、中には先ほどの丸山のように道路から外れた踏み分け道の奥に陣取っている者もいた。

「あれ？　周防さん、何でおれがあそこにいるってわかったんですか？」

開始直後から、直人と周防はほぼ別行動だったのだ。当初周防に頼まれて手伝っていたメンバーはもう少し道を下った待避所にいたが、そこが終わるや否やで別のメンバーの求めに応じて移動した。その繰り返しで、確か丸山のところは四か所目だったはずだ。おまけに、先ほどの電話では場所のヒントも言っていない。

「事故防止も兼ねて、各々の居場所は必ず本部に知らせることになってるんだ」

「あー、なるほど……そりゃそうだ」

とうに日付は変わって深夜になっている上、山頂に登る道はアスファルト舗装こそされているものの、街灯らしい街灯はない。頂上近くにちょっとした遊戯施設はあるが宿泊はできないというから、そもそも夜間に使う前提の場所ではないのだろう。

人工の明かりのない闇は、案外濃淡に富んでいる。夜に慣れた目には周囲の樹木や山々のシルエットが塗りつぶしたように黒く、アスファルトと夜空が白々と浮かんで見えていた。

「あの。もう、大丈夫ですよ。下もアスファルトだし、ひとりで歩けます」

「そうか？」

返ってきた声の露骨に懐疑的な響きに、直人は思わず横を歩く人を見上げる。星明かりのせいか、闇の中でも周防の顔はそれなりによく見えて、言葉通りの懸念を抱いているのは気配で伝わってきた。

「平気ですって。さっきはちょっと斜面だったし草地だったし慣れてないから滑っただけで……っ」

言いかけた、その端から踏み出した足先がつんのめりかけた。ひやりとしたところを掴まれた腕ごと引き戻されて、直人は言葉が続けられなくなる。

「おまえ、少し注意力散漫じゃないか？　この前も事務所で派手に転びかけただろう」

「違います！　滑ったのはおれの足じゃなくて松葉杖ですっ」

「その前に、階段から転がり落ちたのは誰だ」

「おれです、けどー。でもあれはちょっと腹立ってたっていうか、あんまり周りが見えてなかったっていうかー」

ぼそぼそと反論しながら、ふっと気がついた。――周防はただ直人の腕を摑んでいるのではなく、さりげなく支えてくれているのだ。

思わず隣を見上げた時、周防がポケットから取り出した携帯電話を開いた。着信らしい明かりが点滅するそれを操作して耳に当て、要件だけの短いやりとりをして通話を切った。

「柚原《ゆずはら》さんのところに寄るぞ。あの人は今夜、撮影するつもりで機材を持ってきている。興味があるなら、待つ間に見せてもらうといい」

「了解です。っていうか、だからあんな長机まで持ってきてたんですね」

「見たのか？」

「見たっていうか、通りすがりに頼まれたんで長机出すの手伝ったんです」

柚原というのは、周防が所属するこの社会人サークルの主宰者だ。周防が運転する車で集合場所に着くなり、早々に引き合わされた。年齢は五十絡《がら》みで、直人と同じくらいの身長なのに全体に骨太な印象が強い人だった。しゃがれているのに張りがある特徴的な声で、押し出しの強い話し方をすると思ったら、どうやらどこかの会社の偉いさんなのだそうだ。

じきに辿りついた待避所では、柚原が待ちかまえていたように周防に声をかけてきた。応じてそちらへ向かった周防とふたり、何事か話し込んでいるのを視界に入れたまま、直人はアスファルトの上に置かれた長机に目を向ける。

撮影用らしいものものしいまでの機材がこれでもかと並べてある長机の上は、何かの秘密基地のような状況になっていた。開いたノートパソコンのディスプレイに映っているのは、どうやら現時点で望遠鏡から見えている星空のようだ。どうやら長時間露出での撮影をしているらしく、漏れ聞こえる会話には直人がよく知る言葉とよくわからない単語とが入り交じっている。

「すまないな。どこで間違ったんだかねえ」

「ひとまず接続を確認しましょうか。案外、どこかうまく入っていないのかもしれない」

淡々とした声に続いた説明を聞く限り、周防は撮影機材方面にも明るいらしい。大した人だと感嘆しながら、直人は周防の背中を眺めてしまう。

視線に気づいたのか、周防の手許を覗いていた柚原がふとこちらを振り返った。作業中の周防に一言二言声をかけたかと思うと、おもむろに直人の方に歩いてくる。

「ナオくんだったかな。撮影に興味があるのか？　ちょっと触ってみるかい？」

思いがけない誘いに、自分の顔が現金に緩むのがわかった。

「え。あの、……いいんでしょうか」

「もちろん。今日は本当に助かったよ。おかげで僕はこっちに専念できたからねえ」

そう言った柚原は作業中の周防そっちのけで、複数設置してあった望遠鏡の片方を覗かせてくれ、それぞれの機材がどういうものでどう作動するのかを丁寧に教えてくれた。わからないなりに食いつく勢いで聞いていた直人に何か感じたのか、いきなり周防を見て言う。

「なあ、周防くん。このあと、ナオくんを借りたらまずいかねえ。ここ、手伝ってもらいたいんだけど」

「すみませんが、それはちょっと。さっきまで手伝いに回っていたので、今日はまだ一度もまともに星を見ていないんですよ」

「そうかあ。じゃあまた次回には手伝ってもらっていいかな？」

今度の問いは、周防ではなく直人に向けられたものだ。それと悟って、にっこりと笑顔を返した。

「ありがとうございます。嬉しいです。でもおれはまだ学生で、周防さんに連れてきてもらってるので。次回についてはまた、その時の状況次第でお願いします」

「ああ、なるほど。うん、よくわかった。じゃあ、時間が空いて気が向いたら遊びにおいで。いつでも歓迎するから」

苦笑する柚原の相談事が無事に解決するのを待って、直人は周防と一緒にさらに坂を登った。

直人と同じく、周防も不慣れなメンバーのフォローに回っていたため、望遠鏡その他は車のトランクから出してもいないのだ。

「……それにしても律儀《りちぎ》な性分だな」

周防が口を切ったのは、緩くカーブした先にうっすらと車の影が見えた頃だ。隣を歩きながら、直人はきょとんとする。

「は？　それ、おれのことですか」

「柚原さんの誘いを断っただろう。今日はともかく、次回はついて見せてもらってもいいんだぞ？　あれだけの機材があれば手伝いは必要だろうしな」

苦笑混じりに言われて、直人は表情を改める。周防には見えないだろうと知った上で、しかつめらしく言う。

「駄目です。だっておれ、周防さんの友達枠だから参加できてるんですよ？　それと、失礼ですけど柚原さんは優先順位が低いでしょう。自力であそこまでできる人より、丸山さんとかにしっかり調整を覚えてもらう方が先です」

「間違いじゃないが。興味があるんじゃないのか？」

「ないとは言いませんけど、さっき説明してもらった分で十分です。もともとその時に自分の目で見るのが好きで、写真撮影やりたいとか思ったこともないし……っ」

語尾と一緒に、どういうわけか足先まで引っかかった。すぐに立て直したものの、その時にはもう周防の手が直人の肘を摑んでいる。

「……おまえ、やっぱり転び癖がついたんじゃないのか？」

「やめてくださいよー。暗いんで足許が見えなかっただけですっ。一応言っときますけど、おれ、そこまでとろくありませんよ？」

言いながら軽く肘を引いてみたものの、やはり周防の手は離れて行かない。気になって目を向けると、ため息混じりに注意されてしまった。

「今日のところは諦《あきら》めろ。完治しないうちに連れ出したのはこっちだ。怪我を悪化させるわけにはいかない」

「いや、ほぼ完治してますって。言ったじゃないですか、清水さんのおじいさん……お医者さんからは、念のためサポーターして注意って言われただけだって」

「念のためがつく間は完治とは言わない」

即答されて、ぐっと返事に詰まった。今日だけで何度転びかけたかと思い返せば周防の態度も無理はない気がしてきて、直人は反論を差し控える。そのまま歩きながら、何だか歩調がゆっくりだといきなり気がついた。

悔しい話だが、周防と直人では身長もとい脚の長さがあからさまに違う。ストライドが違う以上歩調も違って当たり前なのに、ここに来てから急ごうと思った覚えがない。

つまり、周防がこちらのペースに合わせて歩いてくれているのだ。だったら、さっきからずっと直人の左側にいるのも意図的なものに違いなかった。

案外過保護だと思うと同時に、じんわりとありがたくなった。

初めて一緒に夕食を摂って部屋まで送ってもらった翌朝、直人の自転車はちゃんとアパートの駐輪場に置いてあった。松葉杖を返しに診療所に行った時にはすぐ帰るつもりだったのに、清水の祖父からあのにこにこ笑顔で言われた。

(周防くんから聞いたけど、夜に山に行くんだって？　一応足を診ておくよう頼まれたから、ちょっとおいで)

こちらが知らなかったり、気づかなかったりするところで目配りや気配りをしてくれる人なのだ。思い返してみれば、市の観測会を手伝いに行った時からそうだった。

周防の車は、坂道の途中にある待避所のひとつに停めてあった。辿りつくなりトランクを開けて荷物を下ろすと、周防はその場で荷解《ほど》きを始める。訊いてみると、ここに望遠鏡をセッティングすると言われた。

「真正面が南なんだ。障害物もないからよく見える」

「はー……」

手伝いながら目をやると、確かに視界は見事に開けていた。伐採されているのか、視界を遮る樹木もない。

　三脚を立て、架台と望遠鏡をセッティングする。それを、周防は直人主体で任せてくれた。自分は助手に徹して、必要な時に助言や手助けをくれる。ありがたいのは確かだったが、何となく申し訳なくなった。

「えっと……すみません。これだと、周防先輩が面白くないんじゃないですか？」

　調整の途中で思い立ってそう口にすると、傍でしゃがんで直人の手許を見ていた周防は軽く目を見開いた。すぐに元の無表情に戻って言う。

「別に。交換条件だからな」

「えー、でも」

「代わりにおまえの双眼鏡を借してくれ。一度、使ってみたいんだ」

「それは、もちろんいいんですけど」

「おまえはそっちに集中しろ。時間が勿体ないぞ。……さっきの柚原さんの言い分じゃないが、ナオくん、がいてくれて助かった。当然の権利だと思っていい」

　ぽんと頭に手を置かれ、無造作に髪の毛をかき回された。え、と顔を上げるなり目が合って、暗い中でも周防がわずかに怯んだのが――すっと手を引いたのがわかった。

「……悪かった。以後気をつける」

「え、いいえ！　別にそのくらいどーってことないっていうか」

言いながら、どうしてか顔が少し熱くなった。たった今、周防が触れていった場所に手を当てて、直人は必死で言葉を探す。困っているのは周防も同じだったらしく、沈黙の隙間からそれが伝わってきた。

「えーと……そうだ、おれの名前ですけど。呼び捨ててもらって構わないですよ？」

「うん？」と周防が見下ろしてくる。輪郭に近いその顔を見上げて、直人は意図的にからりと言った。

「さっきから、すごい言いにくそうだし。どうせおれ、友達からはいつもそう呼ばれてるんで」

周防を始めとしたサークルメンバーが直人を「ナオくん」と呼んでいるのは、顔合わせの時にこちらから「ナオと呼んでほしい」と自己申告したからだ。理由は単純で、主宰者が「柚原」だと聞いた時点で「ややこしくなるかも」と思ったせいだった。メンバー全員が年上だから呼び捨て上等のつもりだったのに、わざわざ全員が——周防までもが「くん」付けで呼んでくれた。

「その……周防先輩からナオくんとか呼ばれると、そのたびに何となく背中がぞわぞわするっていうか、すごい違和感があったりなかったり」

思わず付け加えたあとで、「ぞわぞわ」はないだろうと自分で思った。やばいと慌てて言い訳を探していると、周防がため息をつくのが聞こえてくる。

「だろうな。俺も、言っていて気色が悪かった」

「えー。ひどくないですか、それ。……って、お互い様みたいですけどっ」

思わず唇を尖《とが》らせて言うと、傍らで喉《のど》の奥で笑う声がした。

周防が笑っているんだと気づいて、思わず目を見開いていた。闇に慣れた目でじっと見上げていると、視線に気づいたらしく少しばつが悪そうな顔になる。取ってつけたように言った。

「それなら、今だけな。観測会が終わったら元の呼び方に戻そう」

「え、いいですよ別に。バイトん時とかもそのまんま呼び捨てで」

反射的に答えたあとで、自分が口走ったことの意味に気がついた。耳で聞いたその言葉に後押しされるように、直人はひとつ頷く。

「もともと大学の先輩なんだし。事務所のバイトだって、要するに周防さんに紹介してもらったようなもんじゃないですか。だから」

「…………」

何を思ったのか、周防からの返事はない。頬に当たる視線を知った上で、直人はそそくさと調整作業に戻った。

「だったら、そうさせてもらおうか。代わりと言っては何だが、おまえも俺に敬語は使わなくていいぞ」

周防がそう言ったのは、無事にセッティングを終えた望遠鏡に直人が夢中になっていた時だ。不意打ちの言葉に振り返ると、周防は直人の双眼鏡を手に夜空を見上げていた。

「……や、何かその交換条件？　って、おかしくないですか？」

「双方が納得していれば成立だ。いちいち気にしなくていい」

「えー。でも」

「厭なのか？」

真顔で問われて、正直返答に困った。闇の中で見合うこと数秒で、直人の方が音《ね》を上げる羽目になる。

「えっと、……じゃ、じゃそういうことで。よろしくです」

やっとのことでそう言うと、周防は無言で頷いた。

そのあとは、それぞれで望遠鏡と双眼鏡を使いながら、ひとしきり望遠鏡や双眼鏡の性能や好みについての問答をした。話の流れで直人が大学でのサークルの現状を愚痴って将来の展望をぶち上げると、周防は言葉少なに、けれど面白そうにけしかけてくれた。

「後輩たちとおまえだけで観測会をやるっていうのは無理なのか？」

「そのつもりで計画しても、結局は先輩がたに便乗されるんですよ。セッティングしたと思ったら望遠鏡の前を占領されて、ろくに見られなくなるんです。おれはやんわり言えるけど、後輩はなかなかそこまでできないし。試しに望遠鏡の数を増やしてみたら部外者の女の子に三脚ごとぶっ倒されて、修理に出す羽目になっちゃって。おまけに長引くと退屈だからって早々に撤収させせられるし」

部長によると、「星を見に行こう」と誘うと女の子の食いつきがいいらしいのだ。サークル活動の本分なので望遠鏡の調整はきちんとしろ、しかし調整が終わったら早々に場所を空けて自分たちに見させろ――というのが毎度の意向なのだった。

「なるほど。……それなら場所を検討してみたらどうだ」

「場所、ですか。それ、どういう――？」

「近くにコンビニやファミレスがない、ついでに街灯がなく身なりを気にする女性が座る場所もないところを選べばいい。車でそれなりに時間がかかる距離にして、機材とおまえと後輩はうまい具合に乗り合わせるように決めておく。――遠からず部長たちは飽きるだろうから、後輩と口裏を合わせて適当な口実をつけて先に帰らせる。おまえと後輩に明け方まで残るつもりがあれば、かなりの時間が確保できるはずだ。場所によっては、最初から部長たちが来なくなる可能性もあるしな」

言われてみて、気がついた。――そういえば、部長たちが行きたがるスポットは近場に二十四時間営業の店があって、しかもたむろするのにちょうどいいベンチや自販機完備のところばかりだ。

「いいですね、それ。やってみます、けど……そういう場所ってあります？」

「ここ以外にもいくつかある。よければ教えてやろうか？」

「マジですか！　うわ、ありがとーございますっ。後輩ん中に車持ってる奴がいるんで、都合とか相談してみますっ」

跳ねる勢いで即答してしまった。

車も免許もない直人には、自転車で行ける範囲以外は電車やバスの最終時間で帰れるところか、誰かの車に乗せてもらうしか遠出できないのだ。過去の活動記録にあった観測スポットにも、なかなか行くことができずにいた。

いろんな意味でわくわくしているうちに予定していた撤収時刻になって、直人は周防と一緒に望遠鏡を片づけてトランクに載せた。集合場所になっている駐車場に車で移動する途中、目についたグループの片づけを手伝う。最後に全員の点呼を取ると、その場で解散になった。

「眠かったら寝ていいぞ」

「いや、平気です。ていうか、脳味噌がコーフンしてるもんで寝るのは無理ですっ」

元気に答えた直人に苦笑した周防は、途中で深夜営業のファミリーレストランに立ち寄ってくれた。空腹を宥《なだ》めて再度車に乗った時には、時刻は午前五時を回っている。

時刻が時刻だけに、対向車も後続車もない。等間隔に街灯が灯る中、さしかかった町中も眠ったように静かで、それを物珍しく感じた。

「今日は何か予定はあるか？　もしなければ、夕方に少し手伝ってもらいたいことがあるんだが」

「やります。どのみち、書類作るんで昼過ぎには事務所に行きますし。けど、何すればいいんですか。星見関係ですか？」

「いや。こっちの仕事関係。――某所の喫茶店で様子見をしてきてもらいたい」

助手席できょとんと瞬いた直人にちらりと一瞥《いちべつ》をくれて、周防は続ける。

「とある人物がそこにいるかどうか、いるならどういう扱いを受けているかを見てきてくれたらそれでいい。もちろんバイト扱いにするよう、清水にも話は通しておく。現場までの送迎つきで、その時間も含めて時給も出す」

「えーと、すごいありがたい条件なんですけど、それって人探しの方ですよね。いいんですか？　おれみたいのが混ざっても」

「十分だ。おまえなら心配ない」

短い即答に、こそばゆいような気分になった。すんなり頷いて、直人は確認する。

「了解です。事務所にいたらいいんですよね？」

「ああ。三時前にはこっちから連絡するか、誰か人をやる。話も通しておく」

話している間に、フロントガラスの向こうは見知った風景に変わっていた。そこからさほどの間もなく、車は直人のアパートの前で停まる。

「ありがとうございました。楽しかったです。気をつけて帰ってください」

助手席で頭を下げると、周防は「うん」と笑ったようだった。顔を上げた時にはもういつもの無表情に戻っていて、見逃したなら惜しかったと何となく思う。

シートベルトを外し、後部座席に置いていた双眼鏡をケースごと抱えて車を降りるなり、思い出したように「ナオ」と呼ばれた。

自分からそう呼んでほしいと頼んだくせに、不意打ちに遭ったような気分になった。わたわたと振り返ると、周防は真顔でこちらを見ている。

「右足は平気か。痛みや違和感は？」

「あ、ないです。大丈夫」

言って、直人はその場で足踏みをしてみせる。実際のところ、さんざん転びかけたくせに今は痛みも妙な感覚もない。

「それならいいが、そこそこ歩いたから一応注意しておけ。異状があったらすぐ連絡しろ」

「えー……ありがとうございます」

ひどく面映《おもは》ゆい気持ちで、もう一度頭を下げた。

周防が乗った車のテールランプが見えなくなるまで、その場で見送った。ゆっくりとアパートに向かいながら、直人は勝手に緩む頰を持て余していた。

9

「譲原くん。もう時間だから上がっていいよ」

窓際のテーブルに残ったカップ類をトレイに載せてカウンターの中に戻るなり、しかつめらしい顔でサイフォンを睨んでいたマスターからそう声をかけられた。

「ありがとうございます。ここが片づいたら、上がらせてもらいます」

「いや、それは放っておいていい。毎回、時間外労働させるのはさすがにね」

「このくらい、ものの十分もあれば終わりますよ。……って、あれ？」

言いかけた途中で、ドアベルの音とともに店——珈琲《コーヒー》店「沙羅《さら》」の入り口扉が開いた。鳴り響く涼しげな音とともに店内に入ってきた大柄な人影に、直人は破顔する。

「周防さんだあ。いらっしゃいませー。休憩中？　それとも今日は終わり？」

「息抜き中。……ブレンドを頼みます」

後半の言葉をマスターに告げて、周防はカウンター席に腰を下ろす。どうやらまたオートバイで走り回っていたらしく、黒の上下にヘルメットを脇に抱えていた。

ロマンスグレーのマスターが小さく頷いて支度を始めるのを確かめて、直人は周防の前に氷水入りのグラスとお絞りを置き、シンクに積み上げられた洗い物を片づけにかかった。

直人が「清水事務所」でのアルバイトを始めて、一か月が過ぎた。

書類作成のバイトが足の完治と前後して一段落したため、追加の仕事としてここ「沙羅」での週四日のアルバイトを回されたのだ。働くようになって二週間になる今は、店のやり方や自分の役割も把握したし、常連客にも顔を覚えてもらえた。さらに周防もここの常連だったようで、直人がバイトに出ている時にも二日に一度の頻度で顔を見せる。

洗い物を終えた直人がタオルで手を拭っていると、マスターが周防の前に青いカップとソーサーを、その隣の空いていた席に白いカップを置くところだった。

「譲原くんも飲んでいきなさい。残業のお礼だから、お代はいらないよ」

「ありがとうございます。喜んでいただきます」

笑顔で答えて、カウンター内の物入れから自分の鞄を引っ張り出した。カウンター席の周防の隣に腰を下ろし、もう一度マスターに礼を言ってカップに口をつける。

この店のコーヒーは、こう言っては何だがファストフードやレストランでのドリンクバーのものとはまるで別物なのだ。砂糖もミルクもなしで十分に美味しいと思う。

「ナオ。おまえ、今夜は暇か？　よく晴れるらしいんだが、遠出する気力はないか」

「ある！　けど、周防さん、仕事はいいんだ？　あと、おれも九時までは書類作成のバイトの予定なんだけど」

「ちょうどいい。その頃には戻るから、おまえは事務所で待ってろ」

周防がコーヒーを飲み終えるのを待って、揃って店を出た。とたんに冷たい風に吹かれて、直人は慌てて少し厚めの上着を羽織る。

今年の夏は残暑が長かった代わり、秋が短いようなのだ。合いの上着では肌寒いからと先日冬物を出して、自転車に乗る時は手袋を使い始めたところだった。

エンジン音とともに走り出した周防の背中が角を曲がるのを見届けて、直人は自分の自転車を引っ張り出す。清水事務所へ向かいながら見上げた夜空はきれいに晴れていて、これならきっと星がよく見えると思うだけで嬉しくなった。

周防の言う「遠出」は、つまり星見のことだ。三週間前に社会人サークルの天体観測会に参加させてもらって以来、周防は時折あんなふうに直人を誘ってくれるようになった。

妙なふうに突っかかるのをやめてしまえば、周防は頼りになる上につきあいやすい先輩だった。口数が少ないのも表情があまり動かないのも標準装備だと飲み込んでしまうと、ちょっとした目許の変化や雰囲気でおよそどういう方向で考えているかは察しがつくようになった。

それもこれも、星見という共通項があればこそだ。聞いたところによるとこれまで事務所内に同好の士はおらず、今日のようにいきなり思い立っての星見では連れが見つからなかったらしい。

ちなみに突発での星見では、周防のオートバイに二人乗りをして、近場のスポットに行くのが常だ。当然ながら周防は場所に詳しいし、複数の双眼鏡を常に携帯してもいる。

「……バイト代貯まったら、小型の双眼鏡は買いだよなあ」

辿りついた事務所前の駐輪場に自転車を入れながら、そんなつぶやきが落ちた。

毎回のように、周防は直人に双眼鏡を貸してくれるのだ。「あるんだから使えばいい」という態度だが、いつまでも借りっ放しなのはどうにも気が引けた。

明かりの点いた事務所に入ると、この時刻には珍しいことに所長の清水がいた。来客スペースの応接セットに深く腰を下ろし、困った顔をして手許の紙片を眺めている。

「こんばんはー。どうしたんですか。何かありました？」

「ナオくん、臨時のバイトやる気はない？　魔窟《まくつ》から、このへんの書類を見つけてほしいんだ。できれば来月末までに全部」

ぴらりと差し出された紙を受け取って眺めると、どうやら過去に事務所で請け負った仕事の報告書とおぼしきタイトルが十ばかり並んでいた。

「条件つきで了解です。歩合じゃなくて時給制で、来月末までに全部見つかる保証もできませんけど、それでもよければ」

「嘘。そんなのナオくんの台詞じゃないよ？　そこはにっこり笑って、いいですよそのくらいやっときますーって『沙羅』にいる時みたいに言ってくれないとー」

「十分で終わる皿洗いと、魔窟の発掘を同列にしないでくださいよ。あと、おれがほかに何のバイトしてるか、清水さんは知ってますよね？　その合間にやることになるんで、あんまり時間は割けないんです。歩合で期限付きだと仰《おっしゃ》るなら、この書類がそれぞれ正確にどの本棚のどのエリアにあるのかを教えてください。そしたら引き受けますよ」

ちなみに「魔窟」とは、バイト初日に周防から「下手に入ると生き埋めになる」と聞かされた資料室の別名だ。案の定、清水は作ったような困り顔で直人を見た。

「そこまでわかってたら自分でやるよー。所在不明だから無理なんだってば」

「だったらおれにも無理ですよ。とにかく、その条件だと期限までに必ず全部とは確約できないです。バージョンは二種類ですね。イチ、とにかく書類を見つけるのが優先なので棚の秩序は問わない。ニ、現状の棚の秩序は最低限守る条件つき。——どっちにします？」

「できればロク、魔窟を資料室に戻しながら探す……っていうのはどうかなー」

「おれひとりだとかなりの長期戦になりますよ。あと、期限内に全部確保となると人海戦術になるんでかなり人件費がかかると思いますけど、それでもいいんでしょうか」

にっこり笑顔で返すと、清水はしゅんと頷いた。

「……わかりました。今回は、ニ、の方でよろしく」

「了解です。仕事入りと上がりの報告は、清水さんにすればいいですか？」

「報告は面倒だからいいよ。作業時間だけ毎回記録よろしく。書式とかは周防に訊いてくれる？　悪いねー、どうも僕、資料室って苦手でさー」

何だかよれよれした風情の清水が帰っていってから、直人はデスクについてパソコンを起動した。書類作成のバイトにかかろうとした時、窓際のソファからぼそりと声が上がる。

「……お見事。譲原の勝ち」

竹本だった。どういう仕事を担当しているのだか、直人が見る限り、この人はいつも窓際のソファで長く伸びている。今日は、顔の上に雑誌ではなくハンカチを広げていて、それをつまみ上げた隙間からこちらを見ていた。

「何でそうなりますか。おれ、勝負した覚えはないんですけど」

「しゃらっと無理難題押しつけるのがあの所長の特技なんだよ。おまえだって、バイト山ほど詰め込まれてるだろ」

「え、でも助かってますよ？　他のバイト探す必要ないしトータルすると時給も悪くないし、休みも指定できるじゃないですか。おかげで大学もサークルも滞りなく続いてますから」

「おまえ、そういうとこ要領いいよな。ところでいつから所長にナオ呼ばわりされてんの？」

不思議そうに問われて、直人は苦笑した。

「先々週かなあ。周防さんが呼んでるのを聞かれて、狡《ずる》いって言われたんですよね」

「張り合ってるわけだ。おまえ、周防サンに懐いてるもんな。結構いいコンビだって太田《おおた》さんも言ってたし」

「あれはコンビとは言いませんよ。ただの使いっぱです。というか、おれにできるのはそのくらいです」

太田というのは、周防を中心に動いているという「別働隊」のメンバーだ。周防に頼まれて「喫茶店で確認するだけ」のバイトをした時に、直人への説明と送り迎えを引き受けてくれた人でもある。以降、周防には何度か似たようなバイトを頼まれたが、そのたび必ずと言っていいほど顔を合わせていた。

「使いっぱ、ねえ。おまえにそっち関係の仕事まで回すとはね。——ところでおまえ最近、周防サンへの喋りが変わったろ。敬語とタメ口が入り交じり」

「周防さんから敬語使うなって言われたんですよ。おれを呼び捨てにすんのと交換条件とかって。そんで、何となく混じっちゃって」

「交換条件」

デスクについた直人をまじまじと眺めて、竹本は意味ありげに言う。きょとんと目を向けた直人に、きれいな顔で楽しそうに笑ってみせた。

「やっぱおまえ、面白いわ。あの周防サンに真正面から懐く奴がいるとは思わなかった」

「え、何でですか？　周防さん、頼れる兄貴って感じだと思いますけど」

「頼れるのは否定しない。もともとあの人は別働隊にも一目置かれてるし、年上や目上には気に入られる人だしな。けど、面と向かって兄貴扱いで自分から突進していく年下は初めて見た」

いったん言葉を切ったかと思うと、竹本はにっと笑う。

「ドーベルマンの成犬に、豆柴《まめしば》の子犬がまとわりついてる。というのが、オレの個人的感想」

「おれ、豆柴の子犬ですか」

「おまえ、最初は周防サンに食ってかかってたろ。そのへんも含めての話。ちなみにオレ単独の意見じゃないんで、苦情は受け付けません」

言ったかと思うと、竹本は再びソファに転がり、ハンカチを被ってしまった。

どういう表現なんだとは思ったが、不快だとは思わなかった。それで、直人はそのまま仕事にかかる。書類作成を当初予定していたところまで進めて顔を上げると、時刻は午後八時半を回ろうとしていた。

パソコンの電源を落として帰り支度をすると、直人は資料室の中を覗いてみた。

「魔窟」と呼ばれるだけあって、何もかもが無秩序に放り込まれている空間なのだ。本棚ひとつ取っても、いわゆる書籍と書類がごたまぜに積み上げられ押し込まれていて、間にはオモチャだとか大工道具が埋もれていたりする。床の上には紙の束と本と用途不明の品が放り込まれた段ボール箱がそこかしこに無造作に置いてあり、壁際の棚にはゴルフクラブや野球道具といったスポーツ用品から、直人には用途がわからないものが雑然と積み上げられている。当たり前のことに、暖房をつけていないため、室内は寒かった。

果たして、期限内に三分の一でも書類が見つかるだろうか。危ぶみながら上着を羽織って奥に向かい、手近な本棚をざっと見回す。と、本の上に積まれた書類の下を向いてはみ出した部分に見知った文字の並びを見つけて、ラッキーだと歓声を上げたくなった。清水からもらったリストにあったタイトルと、同じなのだ。半分隠れて見えないが、そのものである可能性は高い。

本棚の前に積まれた箱を押しのけて手を伸ばすと、指先ぎりぎりに書類の端が触れた。どうやら何かに挟まっているらしく、引っ張ってみても少しずつしか出てこない。

四苦八苦しながら引き出して残りあと少しになった時に、書類は急にびくともしなくなった。引き続き引っ張りながら踏み台を探そうかと考えた、その瞬間にいきなり書類の束がすっぽ抜ける。埃《ほこり》っぽさに涙目になりながら手許で確かめたタイトルは確かにリストと同一で、幸先《さいさき》のよさについ笑ってしまった。

その時、上の方でずる、と何かが滑る音がした。反射的に顔を上げた目に、頭上の棚から抱えるほどの箱がぐらりと傾いて落ちてくるのが映る。

げ、と声を上げていた。頭を庇《かば》って後じさると、隣の本棚に背が当たる。ばさばさどさという派手な音とともに、頭上から書類の束と、手のひら大の紙片――写真が降ってきた。

「おーい譲原。無事？」

声とともに、本棚の陰から竹本が顔を出す。本棚に寄りかかったまま、直人は苦く笑った。

「……無事です。すみません、起こしちゃいましたか」

返事をした拍子に埃を吸い込んだらしく、発作的な咳が出た。咳込みながら、直人は床に散った紙片——写真の束にかがみ込む。元の箱に放り込みながら、ふと手が止まった。

摑んだ写真の中に、周防がいたのだ。隣にはショートカットのきれいな女性が、寄り添うようにして笑っている。

その写真から、目を離せなくなった。

「あれ。そのへんの写真、どこにあった？」

段ボール箱を足で押しのけながら近づいてきた竹本が、床に散らばった写真を見て言う。

つられて目をやった先には集合写真らしいものがあって、そこでも彼女は周防の隣にいた。

何年か前のものなのだろう、周防や清水、それに竹本も今より若く見えた。

「そこの本棚の上の方です。すみません、箱ごとぶちまけたみたいで。ところでこれ、どういう写真ですか？　写ってるの、ここの事務所の人、……ですよね」

「福利厚生の証拠写真。二年前の花見の時のだな。別働隊とか辞めたヤツとか、その身内も混じってるから、譲原は知らない顔も多いだろ」

足許の写真を眺めて言ってから、竹本は直人の手許を——周防と女性の写真を覗き込んだ。

上着を着ていないせいか、カットソーの肩がずいぶん寒そうだ。

「その美人は周防サンの元彼女。名前は覚えてない」

「元、なんですか？」

「別れたらしい。ずいぶん仲よさそうだったし、別れたくて別れたんじゃないって話」

続いた言葉にどきりとすると同時に、どうしてそんなに詳しいのかと思った。表情でそれと察したのか、竹本は肩を竦めて言う。

「女っ気なしの周防サンに遅い春が来たって、事務所内でイベント扱いだったんだ。当時周防サンはほぼ二十四時間事務所に常駐してて、彼女はよく差し入れに来たりしてた」

「……差し入れ？」

「食い物系。外食とコンビニ弁当続きは身体によくないって。周防サンもかなりめろめろっぽかった。――譲原が周防サンのバイクに乗る時に借りてるメットも、確か元は彼女専用だったはず。首に近いあたりにシール貼ってあったら間違いなし」

「そうなんだ……」

当たり前に答えながら、直人は固まったように動けなくなる。

周防の年齢を思えば、過去に恋人がいるのは当たり前で、むしろ今、そういう影がないことの方が奇妙だ。あるいは直人が知らないだけで、今の周防にはちゃんと「恋人」がいるのかもしれない――。

思っただけで、ずんと胸が重くなった。

……まるで、氷の塊を無理に飲み込んだみたいに。

「――……そんなところで揃って何をやってる？」

いきなり聞こえた低い声に、本気でぎょっとした。

「井戸端会議。——オレはそろそろ帰ります。あとはよろしく」

あわあわする直人の頭をぽんと撫でて、竹本はあっさりと腰を上げる。直人にだけにっこり笑ってみせたかと思うと、周防と入れ替わりに資料室を出ていってしまった。

「あ、えーと。バイトです。清水さんから、書類の発掘を頼まれて」

はずみで放り出した書類を拾うと、近づいてきた周防に「これ」とばかりに押しつけた。

周防がそれを見ているうちに床の写真を掬い上げて、ざかざかと箱に放り込んでいく。

「全部で十ほどはあっただろう。まさか、出来高で請け負ってないだろうな？」

「時給扱いで、期限内に見つかるだけでいいってことにしてもらったです。ここの整理はなしの、一応棚は現状維持するってことで」

写真入りの箱に蓋《ふた》をし、頭上の棚に押し込む。つま先立って四苦八苦していると、周防が背後から手を貸してくれた。

「予定の書類作成は終わったのか」

「ノルマは終わってます。時間があったんで、様子だけ見るつもりだったんだけど」

「それなら出るぞ。適当に食事して、遠出だ」

書類を手にした周防に促《うなが》されて、事務所に戻った。ふたりして戸締まりをすませて外に出ると、直人が入り口ドアに施錠をする。

初めて周防と夕食を摂った翌日に、清水から「周防に怒られたー」との言葉つきで事務所の鍵を渡されたのだ。

リュックサックになるよう肩紐《かたひも》をつけ替えた鞄を背負うなり、背後で爆音が響く。振り返ると、周防はすでにオートバイに跨がっていた。直人が近づくと、ぽんとヘルメットを手渡された。

いつもはそのまま被ってしまうそれを、何となくくるりと回してみた。首の後ろに当たる部分に貼られていた小さな花のシールはずいぶん色褪《いろあ》せているけれど、元の色はたぶんピンクかオレンジ色だ。周防本人が貼るにはミスマッチだと思い、――いきなり、これを被るのは厭だと感じた。

「……ナオ？　疲れたなら止《や》めておくか。おまえ、明日も大学だろう」

エンジン音に紛れて聞こえた声に、反射的に首を横に振っていた。急いで被ったヘルメットの顎紐《あごひも》を嵌《は》めると、直人は周防に聞こえるよう声を張る。

「平気。で、何食べに行きます？」

数秒、気にするようにこちらを見ていた周防は、直人がオートバイの後部シートに手をかけるのを見て口の端で笑った。

「途中にいくつか店があったろう。行きたいところがあったら背中を叩け」

「りょーかい。でも周防さんが行きたいとこがあったら入っちゃってくださいね」

周防の腰に腕を回して背中に頬を押しつけると、オートバイはすぐに走り出した。もう馴染んだはずの周防の体温やしがみついた感触に、違和感を覚えた。自分でもよくわからない感覚に戸惑いながら、直人は走り去っていく夜景を眺めている。

地元野菜使用が売りのハンバーガー屋で空腹を宥めてからさらに走って、これまで何度も来た山の上の観測スポットに辿りつく。昼間には眼下に町並みが一望できる山頂付近からは、今は夜景と夜空が鮮やかに見えていた。

周防が言った通り、よく晴れた夜だ。周囲に明かりらしい明かりがないおかげで、町中にいては見えない星まで肉眼でも確認できる。

少し高い位置で、しかも山中にいるせいか空気はキンと冷えていた。上着の襟を立てていてもほんのりと肌寒い。そろそろ上着ではなく、コートにした方がいいのかもしれない。

夜景と夜空が一望できる斜面ぎりぎりの場所に立って、直人はいつものようにまずは裸眼で目当ての星を探した。位置を確かめてから双眼鏡を目に当てて、視界の中に捉えていく。

いつもなら次々と星を探すのに、今日は不思議なくらいに集中できなかった。少し離れた場所で同じように双眼鏡を手にしている周防を意識しながら、直人は必死で話題を探す。

「あ、そうだ。こないだ相談させてもらったサークルの観測会ですけど、無事終わりました。助言とか、ありがとうございました！」

「無事、か。先輩たちは邪魔しなかったか？」

「邪魔っていうか、ドタキャンされました。場所を調べたみたいで途中で変更しろってしつこく言われたんだけど、計画書出して承認取ってたんで強引に強行して」

結局、当日の集合場所には直人と真面目に勉強中の後輩たちしか来なかったのだ。念のため電話で部長たちの不参加を確認し、車二台に望遠鏡を積み乗り合わせて出かけた。

「後輩とか、すごい喜んでた。感動したとか、全然いつもと違うとか。それで、またやりたいって」

「上等だな。その調子で次回も計画してみろ。もし部長が横槍を入れるようなら、俺が顔を出してやる」

へ、と双眼鏡から目を離すと、周防は何かを企《たくら》んだような顔でこちらを見ていた。淡々とした声で続ける。

「部長たちにしてみれば、自分たちにとっての通常の観測会がやりたいんだろう？　今回はうまくいったが、次回は計画段階で邪魔してくるかもしれないぞ」

「えー、それは大丈夫だと思うけど。フォローしといたし」

「どうやって」

「望遠鏡の調整が得意な奴がもっといた方がいいですよねって言ってみた。おれ、足捻挫してしばらくサークルも休んだじゃん？　その時、結構困ってたみたいでさ。後輩の技術向上のためにって線で押したら、渋々だけど仕方ないかなって感じで」

「……なるほど」

感心したように言われて、直人はにっと笑い返す。

「あ、でも本気で困ったらSOSしてもいいかなあ？　おれはともかく、後輩はもっと練習したいみたいだし」

「わかった。その時はいつでも言って来るといい。それにしてもおまえ、大したもんだな」

「えー、そうかなあ」

苦笑混じりに言われて、何となく照れくさくなった。そそくさと双眼鏡に目を当てて直人は何げなく立ち位置を変える。

ずるっと足許が動いたのは、その時だ。げ、と思った時には双眼鏡を握ったまま、身体が斜めに傾いている。足許は二メートルほどは緩やかな傾斜だが、その先は急斜面だ。

やばいと思った、次の瞬間には腰ごと引き戻されていた。ずんと落ちた重い衝撃に瞬いて、直人は自分がぎりぎり斜面の手前で座り込んでいるのを知る。

「……おまえ、やっぱり転ぶのが特技じゃないのか？」

「え、え……うわ！」

すぐ傍から聞こえた呆れ声に反射的に振り返って、——吐息が触れるほど近くに周防の顔があるのを知った。ぎょっとして身動《みじろ》いだとたんぐいと腰ごと引き戻され、窘《たしな》める声で言われる。

「動くな。下手したら本当に落ちるぞ。――ついでに、双眼鏡を見たままで歩くな」

「う、……スミマセン……」

謝りながら、落ちる寸前に周防に助けられたのだと――結果、周防の膝に抱き抱えられる形で座り込んでいるのだと知った。促《うなが》す手に助けられながらやっとのことで周防から離れて、直人は今さらにひどい動悸《どうき》を覚えてしまう。

たった今まで、周防に触れていた箇所が火照《ほて》ったように熱かった。それを痛いほど意識しながら、自分の手が周防の双眼鏡を握りしめていることにほっとする。

「ごめん、あの、周防さんは大丈夫？　どっか怪我とか」

「大丈夫だ。おまえは？　足首、またやったんじゃないだろうな？」

「平気。それはない。あの、本当にごめん……」

下手をしたら、ふたり揃って斜面から真っ逆さまだったのだ。思い当たって、本気で顔から血の気《け》が引いた。悄然と俯いていると、ぽんと頭の上に重みがかかる。

「無事ならよしとしておくか。けど、自覚はしろ。おまえ、絶対に転び癖があるぞ」

「えー……」

抗議しようと顔を上げるなり周防とまともに目が合って、言葉が続かなくなった。

周防が、呆れたような――そのくせどこか優しい目で見下ろしていたのだ。その表情に、先ほど資料室で見た写真の顔が重なって見えた。

写真の中で隣にいる「彼女」を見つめる周防は、今よりもずっとはっきり表情を見せて、とても優しい顔をしていた。

……あの女性と周防は、どのくらいの間、どんなふうにつきあっていたんだろう。

周防もめろめろで、別れたくなかったのに別れたという。だったら、その理由はいったい何だったんだろう……？

「——ナオ？　おい、大丈夫か」

「あ、え、う、え？」

声とともに、いきなり額《ひたい》を何かで覆われた。ぎょっとして逃げかけた後頭部を摑まれて、ようやく直人は周防の手が自分の額にあることに気づく。

手のひらから伝わってくる体温を、火傷《やけど》するようにくっきりと感じた。

「え、うわ！　何やってんですかっ」

「こっちの台詞だ。おまえ、さっきからおかしいぞ」

「あ、う——……」

いつもならするりと出てくるはずの言い訳が、うまく言葉にならなかった。それどころか勝手に心臓がばくばく鳴る上に、頬まで熱くなってきている。それが伝わったのか、周防は夜の中でも明らかに眉を顰めた。

「少し熱いな。風邪じゃないのか。気分は？」

「も、しかしてそうかも。えーと」

「冷えたのかもしれないな。――その格好じゃ寒いんじゃないのか？」

この際、誤解に便乗することにしてしおらしく俯くと、持っていた双眼鏡を取り上げられた。手首を摑まれ、周防に引っ張られるようにして、先ほどオートバイを停めた場所まで連れ戻される。何やらがさごそしていたかと思うと、布製のマフラーを首に巻き付けられて、リュックサック仕様にした鞄を背負わされた。

「周防さん？　え？　待っ……今っ、来たばっかりで」

「今日は帰る。風邪引きに夜更かしはよくない」

断固とした声とともに、ぽんとヘルメットを被せられる。顎のベルトを留める指が一瞬だけ喉に当たって、その感触と体温に胸の奥がざわざわした。

五分後には、直人はオートバイの後部シートに乗って山道を下っていた。途中で何度か休憩したものの、周防はまっすぐに直人のアパートに向かってしまった。

「暖かくして寝ろよ。明日の朝、動けないようなら電話だ。忘れるなよ」

「うん。ありがとう、ございます。いろいろ、ごめん……」

結局、アパートの玄関先まで送ってもらうことになって、仮病を使ったのを心底後悔した。申し訳なさに顔を上げられずに、直人は周防の足許を見つめている。

耳に入ったため息にぎくりとした時、いきなり両側から頰を摑まれて顔を上げさせられた。

驚いて目を瞠《みは》ると、近い距離で周防が苦笑している。

「どうした。らしくないぞ、しっかりしろ」

ぺし、と軽い力で両側から頬を叩かれた。すぐ寝るよう言い残して、周防は玄関ドアを出ていってしまう。

考える前に、直人はたった今閉じたばかりのドアを開けていた。ひょこりと外に顔を覗かせると、駐輪場の外れのスペースでオートバイに跨がった周防ともろに目が合う。ヘルメットのシールドのせいで表情は見えなかったけれど、早く入って休めという手振りをされた。

頷いて、それでも動かずにいると、周防は肩を竦めて走り出してしまう。

爆音とともに遠ざかっていくテールランプが見えなくなるまで、直人は玄関先にいた。

部屋の中に戻ったあとで、周防のマフラーを巻いたままだったのに気がついた。外したそれを握ったままで、直人は先ほど頬をくるんでくれた周防の手の温度を思い出す。

――あの元恋人にも、あんなふうに触れたんだろうか。ちらりと考えて、そんなものじゃないだろうと考え直した。

ただの後輩と恋人では、扱いが違って当たり前だ。恋人が相手の時の周防は、顔つきも手つきもずっと優しいに決まっている。そう思っただけで、じんわりと全身が熱くなった。

これは――こんなのは、どう考えてもおかしい。

「だって……周防さん、だぞ？」

ぽつんと口にした時、耳慣れた電子音が鳴った。飛び上がって携帯電話を取り出すと、登録外の相手らしく、画面には十一桁《けた》のナンバーが表示されていた。

時刻はそろそろ日付が変わる頃だ。不審に思って眺めているうち、ふっつりと音が止んだ。ため息混じりに携帯電話を充電器に置くと、待っていたようにまた鳴り始める。表示されたナンバーは、うろ覚えだが先ほどと同じもののようだ。

少し迷って通話ボタンを押し、耳に当てて、直後に激しく後悔した。

『ナオ？　急だけど、これから会わないか』

「……無理。会う理由も話すこともないから」

一息に告げて、一方的に通話を切った。どうして今頃と顔を顰めた時、再び電子音が鳴り響く。表示されたナンバーを眺めて、何事かと訝しくなった。

阪井からの電話なのだ。つきあっていた頃、彼はよくあんな電話一本で直人を呼び出しては振り回してくれた。いちいちつきあった自分が馬鹿だったと、今となってはつくづく思う。

その時は、そういうものだと思っていた。阪井は恋人だから、つきあっているから。一緒にいると、それでも楽しい部分が大きかったから。

……けれど、本当に自分は阪井を「好き」だっただろうか。

落ちてきた問いは、鏡のような水面にこぼれた滴《しずく》のようだ。最初は小さかった波紋を、少しずつ、けれど確実に大きく広げていく。

「ちょっと待てよ、おれ……」

考えがまとまらず頭を抱えて、直人は今さらに、周防の言葉が正しかったのを——額がやけに熱くなっているのを知った。

10

翌々日の夕方、珈琲店「沙羅」でのバイトに入る前に、直人は事務所に立ち寄った。大学での昼休み中に清水から電話があって、そうするよう言われたのだ。

清水は、前と同じように応接セットのソファにいた。向かいに座るよう直人を促して、前置きなしで切り出してくる。

「この土・日に新規の仕事が入ったんだけど、ナオくん、やってみない？　個人美術館ていうか、ギャラリーでの個展会場作り」

今日は木曜で、すでに夕方だ。いくら何でもいきなりだと思いながら、直人は頭の中で週末の予定を浚《さら》ってみる。

「日曜はいいですけど、土曜は無理です。午前中にゼミの集まりが入ってて」

「土曜の作業は夜十一時始まりだから大丈夫。個展の開催期間は週明けからの十日間で、撤収は最終日の一晩で片づけるんだけど、できればその時にも入ってもらえないかなあ」

「土曜は徹夜ですか。それで日曜午後から夜って、キツくないですか?」

「そこは不可抗力。予定の会場は土曜いっぱい他の展示で使用中で、閉館後に先方が片づけることになってるんだ。終了後にこっちが入って設営って手順になるし、日曜の昼はギャラリーが開館してて、お客さんもそこそこ入ってくる。そんなところでバタバタしたくないっていうのがオーナーの意向なんで、設営に関してはほかに時間が確保できないんだよね。その代わり時給はいいし、夜間手当と特別手当をつけることになってる。……どうかなー?」

窺うように首を傾げられて、直人は苦笑した。

「先に確認していいですか。おれ、会場設営とかは学祭でやった程度なんですけど、そんなのがいたら現場で足手まといになったりしませんか?」

「会場設営の責任者は周防だから大丈夫。今回は竹本くんも一緒だし、レイアウトの打ち合わせも終わってるから、その通りに設営するだけなんだよ」

周防の名を聞くなり、どきんと心臓が跳ねた。

一昨日の夜、星見の途中でアパートまで送ってもらってから、直人は直接周防と会っていない。昨日の朝にメールで具合を訊かれたのに、同じくメールで「平気」と返したきりだ。

「周防さんと、竹本さんも、ですか?」

「そう。実を言うと周防と竹本くんのふたりきりだと意志疎通が微妙なんで、間に入ってもらおうかなーと。ナオくんならうまくクッションになってくれそうだから」

いったん言葉を切って、清水は直人を安心させるように笑う。

「土曜から日曜の朝にかけてが会場設営で、日曜の午後から夜にかけて作品の展示ね。スタッフはうちから三人と、ギャラリー側の会場スタッフが五人。それを含めて全部、周防が指揮することになってる。周防も竹本くんもそういう系の仕事に慣れてるから、ナオくんの動きには十分に配慮してくれるはずだよ」

ちなみに、海外で有名な賞を取った切り絵作家の個展なのだそうだ。以前から清水事務所を知っていて、今回の個展を開くにあたり、わざわざ責任者に周防を指名してきたという。

「あと、周防から伝言。土曜の夜九時前にナオくんのアパートまで迎えに行くから、大学が終わったあとでしっかり仮眠しておくようにって」

「……それ、おれがこのバイト受けるの決定事項になってませんか?」

「え、もしかして都合悪い? そうなるとちょっと困るんだけど」

本当に困ったように言われて、つい苦笑した。「やります」と返事をしてから、直人は「沙羅」へのバイトに向かう。

その日、周防は「沙羅」に顔を見せなかった。帰りに立ち寄ってみた事務所は無人で、結局直人はまっすぐにアパートに帰ることにする。

帰りに買った弁当で夕飯をすませ、自室の窓辺で双眼鏡をいじっていると、午後九時を回った頃に周防から電話が入った。

液晶画面に表示された「周防先輩」の文字をしばらく眺めてから、直人は通話ボタンを押す。真っ先に体調を訊いてきた声が、何だかひどく懐かしかった。

「もう平気です。熱も下がったし、昨日も今日も大学に行ったし」

そうか、と返した周防はまだ仕事中で、今は連絡待ちなのだそうだ。車通りの多い場所にいるらしく、声の向こうでひっきりなしに車が行き交う音がしていた。

『土曜は一緒に乗っていくでいいのか？　俺は、打ち合わせを兼ねて一時間ほど早く会場入りするんだが』

「乗っけてってもらったらおれは助かる。けど、竹本さんはどうすんのかな」

清水から教わったギャラリーは隣の市の中心街にあるため、自転車で行くには遠い。電車でも、複数の乗り換えが必要になるという。

『竹本は別行動だ。向こうから言ってきた』

「そっか。……ええと、お邪魔じゃなければお願いシマス……」

言ったあとで、いつになく及び腰になっている自分に気がついた。自分でも「あれ」と思ったのが通じたのか、通話の向こうの周防の声が怪訝な色を帯びる。

『……おまえ、本当に熱は下がったのか？　らしくないぞ』

「あ、いや平気！　ごめん大丈夫だから、じゃあおとなしくお迎え待ってますってことでっ」

泡を食って言い募ると、周防は苦笑混じりにしっかり暖かくしておくことと、できるだけ仮眠を取っておくよう言いおいて通話を切った。

携帯電話を充電器に押し込みながら、何を狼狽《うろた》えているんだと自分でも首を傾げていた。膝の上の双眼鏡を再び手に取った時、またしても携帯電話が鳴る。

画面に表示された十一桁のナンバーを見るなり、うんざりと頬を歪めていた。鳴り続ける電子音を放置して風呂をすませ、湯上がりに確認すると今度はメールが届いている。

どちらも、阪井からのものなのだ。ここ一か月ほど、見事に音沙汰《おとさた》がなくなっていたのに、先日の電話以来、たびたび連絡が入ってくるようになった。

電話には出ずメールも無視しているが、どうにもこうにも鬱陶しい。そもそもあんなふうに人を責めておいて、今さら何だとも思う。

とっとと諦めてほしいものだとつくづく思いながら、直人は腰を上げる。双眼鏡を抱えたままで、ベッドに転がった。


土曜日は、見事な快晴になった。

大学をすませた午後から夜に仮眠をして、直人は時間通りに迎えにきた周防のオートバイでバイト先になるギャラリー会場に向かった。

ほんの数日前にオートバイの後ろに乗せてもらったばかりなのに、自分でもやばいと思うほど緊張した。

周防に触ったり体温を感じたりするたびに、資料室で見たツーショット写真を思い出してしまうのだ。あげく、それを過剰に意識してしまう。

摑まっていたはずの手がいつのまにか緩んでいて、信号待ちで停まるたびに周防から「ちゃんと摑まっておけ」と注意される。気を取り直して摑まり直してみても落ち着かず、手足や指をもぞもぞさせては次の信号待ちで同じことを言われてしまう。

そのたび笑顔で「大丈夫」と答えながら、直人は自分の反応に困惑していた。それに気づかない周防ではなく、最後には「具合でも悪いんじゃないのか」と言われてしまったのだ。

「未熟者じゃん……」

ギャラリーに近いファストフード店でホットコーヒーを舐《な》めながら、直人は頭を抱えた。

集合時間まで、ここで時間を潰すことにしたのだ。依頼人とギャラリーのオーナーが揃うミーティングに、下っ端の直人が割り込むわけにはいかなかった。

そして、今の直人は周防との間に「時間」と「距離」を置けたことに心底ほっとしていた。「いつも通り」にしているはずなのに、気がついたらぎこちなくなっている。これはまずいと平静を装ったあげく余計なことを言ったり、いらないことをやったりしてしまう。

「欲求不満になってるとか、兄貴を取られたくないとか、水くさいと思ってるとか……」

思いつく限り並べてみても、どれもこれもぴんと来ない。視界の端をちらちらしている「どかん」と大きい可能性もないではないが、直人的に「ありえない」ので即座に却下した。慌てて取り出すと、小さな液晶画面には「竹本さん」の文字が浮かんでいる。

座りの悪い気分で胃袋までハミ出そうなため息をついた時、携帯電話が鳴った。慌てて取

「はいー。譲原です」

『お疲れ。おまえ今どこ？　もうギャラリーに入った？』

目をやった腕時計の針は、集合時間の二十分前——午後十時四十分をさしている。ぎょっとして電話口で場所を伝えると、竹本は「ああ」とゆったりした口調で言った。

『ちょうどいいや。オレ、その真ん前にいるから。下りてこいよ』

「行きます」と返して席を立ち、階段を駆け下りた。ドアを出たすぐそこに本当に竹本がいて、有言実行ぶりに感心する。そこから、肩を並べて会場へ向かった。

ギャラリーがあるこの界隈は、全国的に知られた観光都市だ。一部が美観地区指定されているためかそこかしこに有料駐車場の表示があり、ギャラリーや美術館の類《たぐい》が多く集まっている。もっとも、この時刻ではほとんどの店は閉店済みだ。

「え、じゃあ竹本さん、昼間はこのへん回ってたんですか？」

「そう。レンタサイクルで適当にぐるっと。退屈しなかったぞ」

「そうなんだ。でも、仮眠しなくて平気ですか。徹夜になるんですよね？」

「夜は強いんだ。徹夜なら三日まで平気」

飄々と答えた竹本に感嘆しているうちに、目的のギャラリーに辿りついた。言われた通りエレベーターで三階に向かおうとして、台車だの何だのを使って諸々の物品を搬出している一団と出くわす。どうやら、今日まで使ってたところが撤収してるらしい。

どうしたものかと思っていると、いきなり竹本の携帯電話が鳴った。二言三言話したかと思うと、しらっとした顔で直人を見る。

「周防サンから。そろそろ打ち合わせだから事務室まで来いってさ」

顎をしゃくるようにされて、ふたりで階段を使った。三階のホールは一階以上に慌ただしい雰囲気で、こんな夜中にご苦労さまだと他人事のように思う。邪魔にならない端を歩き、竹本について「事務室」とある部屋のドアの中に入って、直人は思いがけなさに目を瞠った。

手前に応接スペースが作られた事務室の奥に、周防と年輩の女性と、――つい先日に写真で見た女性がいたのだ。

直人が「彼女」の写真を見たのは、あの時の一度きりだ。それなのに、その女性が「彼女」――周防の元恋人だとわかった。

「竹本さん、あの人」

「うん。これはまた、偶然なんだか故意なんだか」

竹本が言ったところで、周防から声がかかった。応じて集まったメンバーを簡単に紹介され、ギャラリーのオーナーだという年輩女性と、依頼人――「彼女」に引き合わされる。そこで、直人は初めて「彼女」の名前が「市川美緒《いちかわみお》」だということを知った。

「こんな時間からすみません。わたしにとっては初めての個展ですので、いろいろ不備もあるかと思います。ご面倒をおかけしますが、どうかよろしくお願いします」

事務的で素っ気ない周防の紹介を気にしたふうもなく、彼女は柔らかい笑顔で丁寧に頭を下げる。そのあとを周防が引き取って、作業予定スケジュールや注意の説明が始まった。

周防の説明は直人にもわかりやすく、図解まで用意してあった。渡された予定分担表を眺めながら訊いてみると、とにかく今日は竹本について、彼の指示に応じて動けばいいらしい。

ひとつひとつの内容を頭の中に叩き込みながら、直人はつい「彼女」——市川に向かう視線を止められなかった。

写真の中でショートカットだった髪が、今は肩に届くセミロングになっている。深夜なのにきちんと薄化粧をした顔に生真面目《きまじめ》な色を浮かべて、斜め前に立つ周防を見つめている。その視線の柔らかさが、直人には親しく信頼している人に向ける目だと思えた。実際のところ、大柄な周防と女性としては長身で細身の彼女はそうして並んでいるとあつらえたみたいな恋人同士そのもので、そう思ったとたんに胸の奥に苦いものが広がった。

「譲原、行くぞ？　……って、どうした。気になんのか？」

「気になるっていうか、何かすごいお似合いだなーと。何で別れたのかな」

竹本の声に笑って答えながら、自分の台詞にぐっと胸を押さえつけられた。

つられたように周防と彼女に目をやって、竹本は「ああ」と頷く。

「確かに謎。しっくりしすぎて別れた恋人に見えない。案外、とうによりが戻ってたのかも」

「……そういえば清水さんが、依頼人が周防さんを指名したって言ってました」

「とっくによりが戻ってたか、これから戻るかってとこだな。——それはそうと、おまえ軍手持ってきた？　ないんだったら貸すけど」

「あります」と答えたあとで、軽く頭を振った。理由もわからずざわめく気持ちに溺《おぼ》れてしまう前に、直人は強引に思考を切り替えた。


数回の小休止と一回の軽い食事を兼ねた休憩を経て、その日の予定分になっている会場の設営を終えたのは、午前六時を回った頃だった。

へとへとの気分で、直人は全体のミーティングに参加した。明日——もとい、今日の午後からの予定を確認して解散したあと、壁に凭れたまま座り込んでしまう。

のろのろと目をやった腕時計は、もうじき午前七時になるところだ。会場スタッフは三々五々と帰っていったのに、周防はまだ何か気になるふうに手許のクリップボードを眺めながら設営を終えた会場に入っていく。

それを少し離れた場所から眺めながら、直人はすっかり黒ずんだ軍手を外す。丸めてポケットに突っ込んだ。

「譲原？　何やってんだ。まだ帰らねえの？」

ひょいと横から覗き込まれて顔を上げると、竹本が不思議そうに見下ろしていた。徹夜に強いというのは本当らしく、何事もなかったかのような涼しい顔をしている。

たった今知ったことだが、この人は体力も底なしだ。その証拠に、作業中は直人より一・五倍は多く動いていた。

「どうしよう。おれ、周防さんに乗っけてもらって来た、んですけど」

「帰りは？　約束した？」

一拍瞬いて、直人は首を振った。――そういえば、帰りの話は出ていなかったのだ。

「んじゃ、オレと一緒に帰る？　周防サンにはメールでもしとけば。たぶん、あの人が帰るまではまだかなり時間かかるぞ」

うん、と生返事をした時、少し離れた場所にあったエレベーターが動く音がした。え、と思っているうちに扉が開いて、細身の人影が現れる。大きな紙袋を下げた格好で周囲を見回し、壁際で座り込んだ直人とその横に立つ竹本に視線を止めた。

「お疲れさまです。長いこと、ありがとうございます。――差し入れを持ってきたんだけど遅かったのね」

「彼女」――依頼人の市川に柔らかい笑みを向けられて、直人は言葉に詰まった。

昨夜、作業を開始してまもなく、市川は帰っていったはずだ。何をしに来たんだと柄にもなく動揺し、竹本に任せてしまえと思ったのに、その竹本も黙り込んでしまっている。

微妙な沈黙に、きれいな空色のワンピースの上から暖かそうなコートを羽織った彼女が、少し困ったふうに首を傾げる。その耳朶《みみたぶ》で、ワンピースと同じ色のピアスが光っていた。

「おふたりは清水事務所の人でしたよね？　竹本さんと、譲原さん」

「あ、はい、そうです！　ギリギリっていうか、さっき解散になったんで」

急いで答えた直人に、市川はほっとしたように笑った。

「そうなの？　……あ、じゃあ譲原さんと竹本さんに、これ。よかったらどうぞ。それと、周防くんがどこにいるか教えてもらっていいですか？」

差し出された缶コーヒーを、後半の問いのせいで危うく受け取り損ねそうになった。

辛うじて指先で手の中に引き戻した缶を握った直人の横で、同じように缶コーヒーを受け取った竹本が「どうも」と彼女に会釈をする。それを見たあとで、直人はぎこちなく言った。

「周防さんだったら、さっき会場の方に。何か、確認とかあるのかもです」

ほっとしたように「ありがとう」と笑った市川が、何かに気づいたように視線を移す。「周防くん」と明るい声を上げた。見れば、会場の奥から周防が出てきたところだった。

こちらを――というより、市川を見るなり、周防はわかりやすく呆れ顔になった。

「……本当に来たのか。早すぎないか？」

「逆よ。遅かったわ。差し入れ、持ってきたんだけど」

肩で笑うように会場入り口に近づく細い背中を眺めながら、いきなり「ああ」と思った。

――たぶん、市川は周防に会いに来たのだ、と。

何事か話し込んでいた二人が、揃って会場に入っていく。それを眺めながら、見えないところで何かがぐしゃりと潰れたようで胸が苦しくなった。

しっくりしすぎて別れた恋人に見えないと竹本が言ったが、確かにその通りだ。何より、周防の表情がふだんよりずいぶん柔らかい。

好きで別れたわけじゃないなら、いつもとの鞘《さや》に戻っても少しもおかしくはないのだ。

お似合いの二人だ。それに、……どのみち周防は男なんか相手にしてくれない。

思考の後半に滑り込んできた言葉に、自分でぎょっとした。後ろめたさにそれ以上周防たちを見ていられず、直人は竹本に向き直る。

「おれも、一緒に帰ります。周防さんには、メールしときます」

「そ？　んじゃ、ついでにどっかで朝メシにしようか。腹減ったしさ」

竹本についてギャラリーを出ると、外はすっかり朝だった。時間のせいか空気は底冷えしていたけれど、オートバイ仕様で着込んでいたおかげで、そう寒さは感じずにすんだ。

どちらも缶コーヒーに手をつけないまま、竹本の提案で駅前の喫茶店でモーニングセットを食べた。その合間に周防に「先に帰ります」というメールを送って、電車で帰途につく。

電車を乗り換える間にも直人はぼうっとしていて、案内してくれた竹本に苦笑された。

「帰ったら湯に浸《つ》かって身体ほぐしてから寝な。まだ今日が残ってるからな」

竹本の忠告をありがたく拝聴して、途中の駅で別れた。

乗り換えた電車の座席はすべてふさがっていて、直人は手摺りを握って扉の前に立つ。アパートの最寄り駅で降りる頃には、いろんな意味で頭の中がパンク寸前になっていた。

――どのみち周防は男なんか相手にしてくれない。

そう思うのは、相手にしてほしい気持ちがあるからだ。

「……まじか。おれ、周防さんのこと、好……」

独り言のようにこぼれかけた言葉が、中途半端に切れる。無意識に口許を覆ったままで、直人はようやく先日から自分が「おかしく」なっていた理由を悟った。

周防のことが、好きになっていたからだ。なかなか気づけなかったのは、直人が周防を「対象外」だと決めつけていたからだった。

認めてしまえば先日までの据わりの悪さはきれいに消えて、ずんと腹の底が重くなった。よりにもよって、どうして周防なのかと思ったのだ。

表情は薄いし物言いはぶっきらぼうだけれど、本当は優しい人だ。実は周囲をよく見ているし、気づかないうちに細かい配慮をしていることも多い。

それでも、直人にとっての周防はあくまで先輩で兄貴分だ。けして恋愛対象にはならないはずの人だった。

それなのに。

無意識に唇を噛んだ時、耳覚えのある電子音がした。

上着のポケットから携帯電話を引き出しながら、直人は自分が立ち止まっていたのを知る。上の空で受信メールを開いてすぐに、やめておけばよかったと後悔した。

最近恒例になっていた、阪井からのメールだった。

いずれ決着をつけるにしろ、今日明日はまず無理だ。早く帰って寝てしまおう――そう思って足を早めた時に、いきなり横から「ナオ」と呼ばれた。同時に肘を摑まれて、直人は強制的に立ち止まる羽目になる。

「お帰り。ここで会えてよかったよ」

「あんた、……何でここにいるわけ」

訊く声は確かに自分のものなのに、他人のそれのように聞こえた。

何で今なんだとか、勘弁してくれとか。脳裏に浮かんだ言葉の羅列を反芻しながら、直人はじっと目の前の相手――阪井を見た。

「待ってたんだ。ちゃんと、ナオと話がしたくて来た」

その返事は、直人にとってはありがた迷惑以外のなにものでもなかった。

11

場所を変えようと提案した直人に、阪井は反対しなかった。けれど、口にした言葉は遥《はる》か斜め横にかっ飛んでいた。

「じゃ、ナオのアパートに行くか。どうせ帰るんだろ？」

「……悪いけど、それはちょっと。こっち、公園あるんで」

言ったとたんに不満顔になった阪井に背を向けて、直人は早足に歩き出す。さすがに往来で声を上げる気はなかったらしく、阪井はじきにあとを追ってきた。

幸いにして、公園に人気はなかった。その奥の、さらに人目につかない場所まで行ってから、直人は振り返る。

「で、何の用？　おれ、昨夜徹夜だったんで、帰って寝たいから。話は手短によろしく」

言ったあとで、自分の物言いが常になく無愛想だと思った。同じように感じたのか、少し顔を歪めた阪井がおもねるように笑う。

「謝りに来たんだ。その……この前は悪かったと思って」

思いがけないことを、聞いたと思った。目の前に立つ阪井の肩越しに、すっかり葉を落とした丈の高い樹木が見えている。梢《こずえ》の合間から、朝の日差しがきらきらと光っていた。

「いろいろ考えたけど、やっぱりオレはナオがいいんだ。もう一回やり直さないか？」

一か月以上前を「この前」とは言わない。内心で突っ込んでから、直人は阪井を見上げた。

「やり直すって、どうやって？　隣の人におれとのことがバレて、下手したら周りにも知られそうなんだろ？　そこにおれが出入りしたら、もっと外聞が悪いんじゃないの」

「それは……そうだ、ナオの部屋で会えばいいだろ？　そしたらうちとは関係ないし」

「おれのアパートは厭だって言ったの、あんただろ。賃貸は造りがちゃちだし壁が薄いし、絶対隣近所にバレるって。だから毎回、あんたの部屋だったんじゃん」

速攻で突っ込むと、阪井は言葉に詰まった。それを見据えて、トドメのように言う。

「それと阪井さん、絵美ちゃんとつきあってるんだよね？　あいにくおれには二股につきあうような根性はないんで、遠慮しとくよ」

最後通牒《つうちょう》のつもりで突きつけた言葉に、どういうわけか阪井は目を見開いたあとでにへりと笑った。胡乱に顔を顰めた直人を、覗き込むようにして言う。

「何だ。ナオ、それで拗《す》ねてたのか。大丈夫、気にすんな。絵美とはもう別れたからさ」

「はあ……？」

「若いし見た目可愛いし、いいかと思ってつきあってみたんだけど、予想外っていうかとんでもなく我儘《わがまま》だし気が強いし、無駄に手も金もかかったんだよな。引き替えナオは素直で話がわかるし、我が儘もなかったしさ」

言い募る声と顔つきで、つまり絵美にはフラレたらしいと察しがついた。かなり白けた顔になっているはずの直人に構う様子もなく、阪井は浮かれた声で続ける。

「ナオはいつでも、オレの立場を一番に考えてくれてたよな。それがどれだけありがたいか、よくわかったんだよ。絵美なんかとは比較にもならないって」

要するに、自分にとって都合がいいから直人とつきあってやる、ということだ。冷ややかに考えて、厭な気分になった。それでも、顔と声は変えずに淡々と言う。

「そりゃどうも。けど、あいにくおれにはやり直す気はないんで、諦めて他当たりなよ」

「ナオ、待てよ。少しくらい考えたって——」

「今考えたけど無理。もうメールとか寄越すのやめろよな。んじゃね」

言い捨てて、直人はざかざかと公園の出口に向かった。

「ちょっ……ナオ！」

焦ったような声と一緒に、足音が追いかけてくる。それが心底煩《わずら》わしくて、直人は足を早めてアパートに向かった。

今はとにかく、帰って風呂に入って寝る。——それ以外のことは何も考えたくなかった。

「ナオって！　まだ話は終わってないだろ⁉」

アパートの敷地に入ったとたん、声とともに上着の肘を取られる。いったん振り払って自室の前に辿りつくと、今度は手首を摑まれた。

「……あんた、何考えてんの。ここ、ほぼ往来なんだけど？」

アパートの前庭が駐車場になっているため、各部屋の玄関先は通りから丸見えなのだ。

「そう言わず、もう一度だけ考えてくれよ。オレとおまえの仲だろ？」

手首を摑む指は強く、簡単に離れてくれそうにない。寝不足と、自覚したばかりの周防への気持ちと「彼女」のことと、それだけで今は手一杯で、何もかもが面倒くさくなった。

「……考えたら、この手離して帰ってくれるわけ」

「もちろんだ。だから」

「いいよ。もう一回、きちんと考える。だから今日は帰ってくれる？」

言いながら、こうやって何でも受け流すのは悪い癖だとつくづく思った。

ほっとしたように緩みかけた阪井の指に、またしても力が籠《こ》もる。え、と思った時には玄関ドアに押しつけられていて、吐息がかかる距離に阪井の顔が迫っていた。冗談じゃないと思ったとたんに手が伸びて、直人は寸前でその顎を摑んで押しとどめる。

「……時と場所くらい考えたら。あんたはよくても、おれが迷惑なんで」

「わかったよ。ナオも、変なところで堅いよなあ」

誰にも関係を知られたくないと、煩いくらい神経質だったのはそっちだろう。思いはしたが口には出さずに、直人はぐいぐいと阪井を押しのけた。

「帰ったら。おれは寝るんで」

「うん。また電話するから」

言い返すのも面倒で、直人はなおざりに頷く。浮かれた足取りで帰っていく阪井を眺めながら、どうせならもっとしっかり捕《つか》まえていてほしかったと「絵美ちゃん」に文句を言いたくなった。

「いいや。……寝よ」

いずれにしても、何もかも棚上げだ。あとのことは寝て起きてから考えよう。

引っ張り出した鍵を手に玄関ドアに向き直りかけて、ふっと視界を何かがよぎった。

どうしてか、見過ごせなかった。顔を顰めて振り返って、直人はぎくりと目を見開く。

今の今まで気づかなかった自分を、罵倒したくなった。

——二階に上がる階段の向こう側から、ヘルメットを小脇にした周防が、いつになく表情のない顔でこちらを見ていた。


滅多に怒らない人が本気で怒ると、半端でなく怖い。

——とは、いったいどこで聞いた言葉だったか。

「何か飲む？　お茶とかコーヒーとか……これから帰るんだったらコーヒーの方がいいか」

ワンルームのアパートのキッチンは、ままごと道具のように存在感が薄い。玄関を上がってすぐのそのキッチンに向かいながら、直人は言い訳を連ねていた。

「コーヒーさ、前ん時の上等のもまだあるんだけど、こないだ父親が別のメーカーのちょっといいやつ送ってくれたんだ。周防さん、ホットとアイスだとどっちがいいですか？」

取り留めもなく喋り続けているのは、どうにも間が保《も》たないからだ。加えて、無言のまま部屋に上がってきた周防の態度が、いつもとは明らかに違っていたせいだった。

ほんの数分前——踏み板の上下が素通しになった金属製の階段の向こうにいた周防と目が合った時、直人は危なく悲鳴を上げそうになった。

予想外だったし、いきなりだったし、何よりタイミングが最悪だった。そして、それ以上に周防の見慣れたはずの無表情さが、いつもとは違って見えたのだ。

（……話がある。中に入れてもらって構わないか）

告げる声音も抑揚も、いつもと同じだ。それなのに、底の部分がぞっとするほど冷えているのが——ありていに言うなら「本気で怒っている」のが伝わってきた。うまい言葉が見つからないまま、直人は周防を部屋の中に招き入れた——。

「帰り、オートバイだよね。だったら温かいのがいいかな」

「コーヒーもお茶もいらない。いいからこっちに来い」

発せられた低い声に、直人は固まったように動きを止めた。到底逆らえるはずもなく、ぎくしゃくと部屋の真ん中にあるローテーブルの前に座った。

大柄なのに、それを感じさせない軽い動作で、周防が真向かいに腰を下ろす。「怒っている」のに無表情のまま、しばらく黙って直人を見つめていた。

ふたりとも、上着すら脱がないままだ。無言の視線に耐えられたのはせいぜい三分ほどで、直人は徐々に俯いてしまう。頭の中にあるのは、いったい自分は何をやらかしたのかという疑問ばかりだ。

「……——おまえ、またあの男とつきあうつもりか？」

「へ、……？」

長い沈黙を破った問いの思いがけなさに、ぽかんとしたあとで気がついた。

あの時点で階段の向こうにいたのなら——すでにオートバイを降りていたのなら、周防には阪井と直人の最後のやりとりが聞こえていたはずなのだ。

「まさかだろ！　何でおれが、今さら」

「さっき、考えておくと言っていたな。おまけに、往来では避けた方がよさそうなことまでやっていたようだ」

「え、そ、んなわけ、……！」

否定しかけて、気がついた。——周防がいたらしい階段の向こうからでは、阪井が直人に顔を近づけたところと、その前後の言葉しかわからなかったのではないか。

「違うから！　前に言ったよね？　おれ、もう阪井さんとは懲り懲りだし、当分恋愛とかはしなくていいって思っ……」

「だったらどうして断らなかった？」

「断ったよ！　けどとにかくしつこかったし、おれも今日は疲れてたから……っ」

「――相手がしつこくて自分が疲れていたら、おまえはその場凌ぎで承諾するような返事をするのか。困るほどしつこい相手が、それで引き下がるとでも思ってるのか？」

即答で切りつけられて、直人は返答を失う。周防の言い分の正しさを思い知ると同時に、むうっと反抗心が頭をもたげてきた。

勝手な言い分だとは承知しているが、直人は疲れていたのだ。徹夜のバイトのせいだけでなく、周防と「彼女」――市川が二人で並んだ光景にも、割り込みようのない親しげな空気にも、今朝になって気づいた自分の気持ちにも振り回されて、疲れ果てていた。

だから、阪井のことはどうでもよかったのだ。あの男の繰り言につきあうよりは、とっとと追い払ってひとりになって、自分の気持ちを確かめたかった。

結果的には、本人を目の前にはっきり思い知らされてしまったけれども。

「……いいじゃん、そんなの」

ぽつんとこぼれた声は、自分の耳にも投げやりに聞こえた。周防の表情が険しくなるのを知って、直人は唇を歪める。まっすぐに、好きだと気づいたばかりの人を見返した。

「おれが誰とつきあおうが、おれの勝手だろ。周防さんには関係ないよね？」

絶対に、報われることのない気持ちだ。駅から歩いて帰る道々でとっくに気づいていて、けれど意図的に目を逸らしていた確信を、直人は剝き出しで突きつけられる。

どんなに好きになったところで、この人は「男」に対してそういう意味での興味はない。よく知っているから、それでもできるだけ近くにいたいから、せめて嫌われることだけは避けたいから――何があっても、この人にだけは自分の気持ちを知られるわけにはいかない。

――事務所でのアルバイトを始めて間もない頃、自分は男が好きなんだと自棄《やけ》っぱちで言った直人に、周防は「個人の自由」だと言った。

「男同士は理解できないが」と前置きがあったあの言葉に、直人は正直、拍子抜けした気持ちになった。

昨今は、男同士の関係は珍しくもないという風潮があるらしい。とはいえ、それはあくまでテレビや小説や映画の中にあるから言えることであって、友人や隣人が「そう」だと聞いた時に、誰もが「日常」として受け流せるとは限らない。それを、直人は寮生活していた高校の三年間と、大学生になってからの一年半で繰り返し思い知らされた。

……だから、周防のあの言葉が嬉しかったのだ。前後に交わした会話は「当たり前の恋人同士」にするのと同じ忠告で、そこには欠片《かけら》の嫌悪も感じなかった。

こんな人もいるんだと、思うだけで安心した。いい人だと思ったから、優しいから、趣味が合うから一緒にいて楽しかったのではなく、直人が「男と恋愛する」人間だと知った上で、当たり前の心配をしてくれた人だから——だからこそ、無条件で信じていいと思った……。

「確かにそうだな。おまえの個人的事情で、俺には関係ない。余計なことを言って悪かった」

声の響きにひんやりとした色を感じて、直人はぎくりとする。はじけたように顔を上げると、冷めた顔をした周防とまともに目が合った。

「あ、……」

視線を合わせていられずに、直人は俯く。たった今、自分が口にした言葉を心底後悔した。後輩で弟分だから、忠告してくれたのだ。直人が叩かれたことを気にかけて、まだ知人ですらなかった時点で阪井に注意までしてくれた。その人に、自分は何を言ったのか。

「あの、……周防さ——」

謝るつもりで、うまく声が出なかった。理由を話して、そんなつもりじゃなかったと説明して、——けれどそれをやったら周防に自分の気持ちを知られてしまうかもしれない。

どうすればと思ったとたんに、口許がへらっと緩んだ。溢《あふ》れそうになる気持ちに辛うじて蓋をして、直人は周防を見上げる。

これ以上、言い合いはしたくなかったのだ。この話はもう、終わりにしてほしかった。

「心配してくれたのに、厭な言い方してごめん。でも、大丈夫だから。後始末は自分でやるよ。そういうの、慣れてるからさ」

「どうでも好きにしろ。おまえの自由だ」

返答は、切って捨てるように冷ややかだ。言葉を失った直人を見据えて、平淡に続ける。

「本題だ。バイト中に自分勝手に動くな。帰るなら、せめて声くらいかけて行け」

「……ごめん。帰りの約束してなかったから、いいのかと思って」

「逆だろう。行きが一緒なら、不慮のことでもない限り帰りも一緒だ。慣れない場所で、徹夜明けにひとりで帰って何かあったらどうする気だ」

周防の声の調子は変わらなかったけれど、内容を聞いてほっとした。

——直人が勝手にひとりで帰ったから、周防は腹を立てていたのだ。

「今度から気をつけます。けどさ、気を利かせたってことで勘弁してくれないかなあ」

「どういう意味だ?」

周防の声は、相変わらず低い。知っていて、直人はへらへらと笑ってみせた。

言えば言うだけ胸が痛いのに、弟分のポジションなら出るはずの言葉だと思うと、止めるわけにはいかなかったのだ。

「市川さんて人、周防さんとすごいお似合いだったじゃん。何かいい感じだったし、邪魔しちゃ悪いかと思ったんだよね」

「余計な世話だ。それこそおまえには関係ない」

間髪を容《い》れずの周防の言葉は静かで、けして激しいものではない。それなのに、たった一言で境界線の外側に押しやられたと思った。

無意識に息を呑《の》んで、直人は必死に「弟分」として言うべき言葉を探す。

「そ、ですね。余計なこと言って、もう一回ごめんなさい」

いつもの笑顔でそう言う自分は、「直人」の皮を被った見知らぬ他人のようだ。能面のように表情がない周防の言葉に、素直に耳を傾けている。曰《いわ》く、今日の午後三時には迎えにくるからこれからすぐに寝ておくこと――。

頷いて、直人は周防を玄関先まで見送った。もう一度、「いろいろ迷惑かけてすみません」と頭を下げた直人を、周防はじっと見つめていた。

ひとりになったあと、直人はざっとシャワーだけ浴びて、すぐにベッドに入った。疲れているはずなのに、少しも眠れなかった。カーテンを閉じても薄明るい天井を見上げて、直人はぼんやりと先ほどの周防を思い出している。

……今のままでいられるのなら、その方がずっといい。

ぽつんと落ちてきたのは、直人の本音だ。その脳裏でちらちらしているのは、今朝に見た周防と市川の、親しげなやりとりだった。

周防にとっての直人は、大学の後輩であり事務所のバイトであり、弟分でもある。だったらこのまま何も言わずに、自分の中に気持ちを仕舞っておけばいい。少なくとも嫌われることはないし、長く「知り合い」でいられる。近くで周防を見ていることができる。

最初から叶《かな》わないとわかっているなら、せめて今の関係だけは失いたくない。胸の底が破れるような気持ちで、そう思った。

「やば。……おれ、本気で周防さんが好きなんじゃん……」

自分の言葉を耳で聞いて、ようやく「そうか」と思う。

直人の初恋は、高校の寮で同室になり後に親友となった相手だった。その親友と、大学に入って以降の恋人に共通しているのは、声をかけてきたのが常に相手の方だったということだ。

こんなふうに自分から近づきたいと思ったのは――「好きだ」と気づいた相手は、周防が初めてだ。同じように、失いたくないから言わずにおこうという気持ちも初めて知った。

「ああ、そっか。もしかして、こじらせるかも」

言いながら、何となく笑えてきた。顔は笑っているのに視界がぼやけてきて、それを隠すように腕で目許を覆った。

どうしようと、今になって思う。どうして周防で、何で今なんだろう。

……いつのまに、こんなに周防が好きになってしまったんだろう？

12

午後になって再びギャラリーに出向いた直人に割り振られた仕事は、運送会社が届ける展示用の作品を搬入口で確認し、受け取る作業だった。

運び込まれた荷物のナンバーをチェックリストと照合していくだけの、単調な仕事だ。とはいえ荷物の内訳には展示作品が含まれるため取り扱いはくれぐれも慎重にと、これは周防だけでなくギャラリーのオーナーからも直々《じきじき》に念を押された。

二台目のトラックが去るのを見送ってから、携帯電話で竹本に連絡を入れた。返事を貰《もら》い、ジーンズのポケットに携帯電話を押し込んで、直人は届いたばかりの荷物に目を向ける。

いったいどんな作品なんだろうと、ちらりと思った。そして、数時間後には会場を見にやってくるという市川に、どんな顔で挨拶すればいいだろうと考える。

……ベッドに横になっても、ろくに眠れなかったのだ。ようやっとうつらうつらした頃に携帯電話のアラーム音で飛び起きたせいか、頭の芯がまだぼうっとしていた。

緊張感のせいで眠気を覚える余地がないのは、ある意味でラッキーだ。周防のオートバイに乗ってここに向かう間も仕事にかかってからも、キンキンに目が冴《さ》えている。

周防とは、あれからまともに話をしていない。もちろんそれなりに喋りはしたけれど、直人も周防も互いの出方を待つような——川の底を踏んで水が濁らないように、慎重に上澄《うわず》みだけを掬うような無難な内容に終始した。

周防が、まだ怒っているように見えたのだ。下手に喋るとまずいことを言ってしまいそうで、いつものような軽口を利くことができなかった。

「お疲れ。荷物の追加分、これ?」

台車を引いてエレベーターで降りてきた竹本が、声をかけてくる。クリップボードを手に頷いた直人を眺めて、きれいな顔を顰めた。

「顔色悪いぞ。交替するか、ついててやろうか?」

「ありがとうございます。でも、平気です。それに、竹本さんには竹本さんの仕事があるじゃないですか。……それはそうと、竹本さんは今回の展示作品て見たことあります?」

「ないな。けど、あとちょっとで現物が見られるだろ」

梱包されたままの荷物をちらりと眺めてから、竹本はぽつりと言う。

「おまえ、今日の帰りはどうする? 周防サンに乗せてもらうのが一番早いけど、あの人責任者だから今日も帰りは遅いだろ。デートの予定が入ってるかもしれないし」

「デートって……市川さんと、ですよね?」

「そう。ちらっと耳に挟んだんだけど、今朝の解散のあと、ふたりで食事に行ったらしいな。今日の仕事終わりはちょうど夕食時だから、約束があるかも。おまえ、何か聞いてない?」

「ないです」と首を振った。そのあとで、思いついて付け加える。

「けど、馬に蹴られるのを待つより、先に帰って寝た方が世のため人のためですよねえ」

「……譲原、日本語がおかしい。まさか、所長に弟子入りしてないよな?」

「してないですよ。えー、変ですか、おれ」

言いながら、へらへら笑える自分が不思議だった。訝しいを通り越して心配げな顔になった竹本に、直人は笑ったまま続ける。

「周防の兄貴には、機会を見ておれから言います。んで、今日も竹本さんと帰ります。でないと、待ってる間にどっかで行き倒れそう」

「了解。もう一踏ん張りだ。頑張れ」

竹本は、集合時間に顔を合わせた早々に直人の様子がおかしいと気づいたらしい。作業の割り振りが終わったあとで、わざわざ周防に「直人についても構わないか」と訊いてくれた。気遣いはありがたかったけれど、周防が返事をする前に直人が断った。――今は、できるだけひとりでいたかったのだ。

竹本を手伝って台車に荷物を積み込み、エレベーター前まで移動した。エレベーターを使って二往復分の荷物を運び上げると、またしばらく直人は搬入口でひとりになる。

作品だけでなく展示会開催中の販売物も含まれるため、届く荷物はかなりの数になる。送付元もばらけているとかで、配送トラックも複数にわたっているのだそうだ。

残りのトラックはもう二台、それぞれ作品の残りと販売物だ。クリップボードに挟んだチェックシートをめくりながら、直人は先ほどの竹本の言葉を思い出す。

(今朝の解散のあと、ふたりで食事に行ったらしいな)

ただの依頼人と、「ふたりで」食事に行く理由も必要性もないはずだ。つまり、周防にとっても市川にとっても仕事外のプライベートということになる。

「……そっかあ。本当に、よりが戻ったんだ……」

そういえば、今朝の周防は直人の冷やかしをいっさい否定しなかった。——否定する理由も必要もなかったということだ。

「きっつい、かも……」

ため息をついて、直人は壁に凭れたままずるずると座り込む。手にしたままのクリップボードを眺めて、記された文字を指先でなぞってみる。

今朝のうちに、覚悟は決めたはずだ。だから、今さら余計なことは考えない。

よし、と自分に気合いを入れて、直人は思い切りよく腰を上げた。その時、ちょうど最後のトラックとおぼしき車が、路地を入って近づいてくるのが目に入った。

ほっとして、直人は搬入口から外に出る。運転席の下に駆け寄って、声をかけた。


それが発覚したのは、短い休憩を挟んで作品の展示を始めて間もない午後五時過ぎだった。

「二十九番の作品、どこにありますか？　このへん、見あたらないんですけど」

会場スタッフの声が響いた時、直人は竹本の傍で荷物——作品の梱包を慎重に剝がしているところだった。

額装した作品を壁のフックに設置していた竹本が、声に応じて眉を寄せる。直人が声の方に目を向けた時には、すでに周防が大股でそちらに向かっていた。

「譲原、一応そのへん見て。梱包とかに埋もれてないかどうか」

「あ、はい」

竹本の指示に即答して、直人は剥がした梱包材をゴミ袋に押し込む。近くの床に転がっていたのを拾い集めている間に、竹本は壁際にあるまだ梱包されたままの荷物を確認していった。ほかでも同じ作業が行われていて、なのに「あった」という声がない。

先ほど声をあげたスタッフは展示用の壁の向こうにいるらしく、姿は見えない。代わりに、ぼそぼそと話し込むような声がする。

落ち着かない気分で腰を上げた直人が声の方に目をやると、タイミングを合わせたように周防がこちらに歩いてくる。持っているのは休憩前まで直人が預かっていたチェックシートで、それと気づいてぎくりとした。直後、「ナオ」と手招きで周防に呼ばれる。

「ここのチェックだが。抜かしてないか」

周防が示したチェックシートのその箇所を見て、呼吸が止まった。

上下の欄に大きめのチェックが入っているから一見赤があるように見えるだけで、二十九番のボックスは空欄なのだ。最後に確認したはずなのに、完全に見落としていた。

「す、みませ——確認、します！　すぐ」

「いい。俺がやる。念のため、おまえも来い。……竹本、悪いがリストと残りの荷物を照会しておいてくれ。何かあれば即連絡、なければ作業を先に進める」

「了解」

気がかりそうにこちらを見ている竹本と言葉を交わすひまもなく、直人は周防についてロビーから事務室へ向かった。

そこからは、じりじりするような時間になった。

事務室にいたギャラリーのオーナーに事情を説明したのも、奥の小部屋を借りて配送業者に電話を入れたのも周防だった。業者に状況と事情を説明し、下ろし忘れた荷物がどこにあるかを照会してもらう。結果は芳《かんば》しくなく、配送トラックは現在も出たままで、夕方以降夜間指定の荷物を積んで走っている。現時点では市内を走っているが、配達エリアには隣の市も含まれるため、営業所に戻るのは深夜になるという話だった。

午後の配送の時点で、直人が「確かに全部下ろした」という確認のサインをしているのだ。すぐに再配送しろだとか、こちらの都合を考えろなどと言える状況ではないに決まっていた。

「では、こちらがトラックを追いかけます。すみませんが、運転手の方の携帯ナンバーを教えていただけますか？　……ええ、そちらはそちらの都合で移動していただいて結構です」

てきぱきと言った周防が手許のメモに書き付けた十一桁のナンバーを、直人はその場で記憶した。周防が通話を切るのを待って言う。

「おれ、自転車で追いかけます。すみませんけど、行き先だけ電話で教えてください」

「無理だ。俺が行く」

「でも、周防さんはまだ仕事ありますよね。ここ、離れるわけにはいきませんよね？」

即答で制止した周防に、押し込むように言い返した。

作品の展示以外にも、やらねばならない仕事はある。受付や販売物コーナーの設営に看板の設置の他にも細かい準備があって、周防は主にそちらにかかることになっていたはずだ。

「今の時間帯は道路が混んでるから、自転車の方が小回りが利きます。おれのミスですから、おれに行かせてください。トラックの運転手さんも、おれの顔なら覚えてると思います」

言い切って、返事は聞かずに事務室を飛び出した。階段を駆け下りてギャラリーの外に出ると、すでに暗くなった町中を、今朝の帰りがけにも見かけたレンタサイクル屋に走る。

途中、周防から携帯に電話が入った。向こうの第一声を遮るように「自転車を借りますから、行き先の指示お願いします」と繰り返すと、諦めたような声が返る。

『駅前のレンタルサイクルに行け。今から一台出してもらうよう連絡しておく。隣が本屋だからそこで近郊の地図を買って、領収証を取る。その時点で折り返し連絡しろ』

「はい」と返して通話を切り、駅前に急《せ》いだ。

日曜夕方の観光地だからか、歩道を歩く人は多かった。人の合間を縫うように走って駅前のレンタサイクル屋に飛び込むと、簡単な手続きをして自転車を借り、目についたチェーン式の鍵をひとつ買った。本屋で地図を買ってから、直人は周防に連絡を入れる。

むやみにトラックを追いかけるより、少々遠方になっても配送順が遅い地点で待っていた方がいいと言われて、直人は首を振った。

「それだと受け取る時間が遅くなりますよね？　大丈夫です、おれ自転車には自信あります。追いつけそうな場所で指定してください」

押し込むように言ったあとは、携帯電話を片手に道に迷いながらとにかくペダルを漕《こ》いだ。

いったい何をやっていたんだと、自分で自分が厭になった。

――作業開始前、直人を気にかけて傍につこうとしてくれた竹本の申し出を断ったあとで、周防が彼に声をかけているのを聞いた。その時の言葉が、耳に残っていた。

(ナオなら大丈夫だ。ああした作業に関しては、俺やおまえよりずっときっちりしている)

直人を信頼して、周防は仕事を任せてくれたのだ。それなのに、迂闊《うかつ》な不注意でよりにもよって大事な作品を紛失させてしまった。

……最初に「切り絵」と聞いた時点での直人のイメージは、幼稚園や小学校でやった折り紙を切り貼りしたものや、よくて子ども向け絵本だった。それで賞を取ったとか、個展をするというのが不思議な気がしていたけれど、実際に目にした市川の作品はそうしたイメージからは想像もつかないほど繊細なものだった。

どうやってカットしたのかと思うような繊細なラインは見とれるほど優美で、母親が趣味でやっていた極細のレース編みよりも入り組んで複雑に作られていたのだ。正直、世の中にこんな世界があったのかと思った。直人が思わず「すごい」と口にしたのに応じて、同じ作品を見た竹本は「オレだったら、絶対作ってる途中で全部破るな」と漏らした。

個展の主役は、作品そのものだ。すべて一点もので、複製はない。もし見つからなかったら、事務所の責任問題だけではすまないかもしれない——。

すっかり夜になった町にはそこかしこにライトや街灯があるが、明るさが一定しないせいで地図が読みにくい。時間が七時、八時を過ぎれば閉まる店も多く、道を聞くにもまずコンビニエンスストアを探すことになった。追いついたはずが道に迷い、次のポイントを確認して走り出す。目当てのトラックに追いつく頃には、時刻は午後八時半を回っていた。

周防から聞いたナンバーと同じトラックが、マンションの横にハザードランプを点けて停まっている。それを確かめるなり、全身から力が抜けた。自転車を傍のガードレールに凭れさせ、笑う膝を叱咤《しった》して覗いた運転席は無人だったが、とにかく追いついたんだと思った。

へたへたとガードレールに腰を下ろしたあとで、自分が全身に汗をかいているのを知った。寒気を堪えて待つこと二分後に、がらがらと台車を押す音が聞こえてくる。そうして、直人は台車を押してきた相手——午後にも会った運転手と、まともに顔を合わせることになった。

「……ああ！　悪かったねえ！　取りに来てくれたんだろ？　すぐ下ろすよ」

人懐こい顔に「申し訳ない」と書いたような表情をした運転手は、言葉通りすぐに荷物を下ろしてくれた。そのあとで、直人が自転車で追って来たと知って呆れ顔になる。

「お疲れさんだったなあ。できれば送ってやりたいんだが、まだ配達が残っていてね」

「とんでもないです。お忙しいところ、ご迷惑をおかけしてしまってすみませんでした」

頭を下げて、街灯が光る夜の中を配送トラックが走っていくのを見送った。そのあと、荷物を載せた自転車を押して最寄りのコンビニエンスストアに行き、駐輪場で鍵とチェーンロックをかける。タクシーを呼び、荷物を積んで行き先としてギャラリーの住所を告げた。

大事な作品を、自転車に積んで戻るわけにはいかないと思ったのだ。

タクシーの中で「これから戻ります」と連絡したためか、帰りついたギャラリーの前では竹本が待っていてくれた。

抱えていた荷物を竹本に預けるなり、腰が抜けたように動けなくなった。

「おい？　譲原、大丈夫か」

「平気です。すぐ行きますから、荷物をお願いします」

頷いた竹本がギャラリーの通用口に向かうのを見送って、直人はやっとのことで支払いをすませてタクシーを降りた。

ギャラリー一階の通用口から中に入り、今回ばかりはエレベーターを使った。会場がある三階で降りて小さく息を吐いた時、きちんと作られた個展会場の出入り口から竹本が姿を見せる。直人の傍に駆け寄ってくると、落とした声で言った。

「お疲れ。無事、展示完了だ」

「……ありがとうございます。いろいろ、迷惑かけてすみませんでした」

「気にすんな。おまえだけの責任じゃねえよ」

「でも」と言いかけた直人を制するように、竹本が苦笑する。

「周防サンが、二重チェックしなかった以上は連帯責任だってさ。……あと少し頑張れ。挨拶すれば終わりだ」

ついニ十分ほど前に、会場のセッティングはすべて終わったのだそうだ。その時点で会場スタッフは解散し、周防は打ち合わせに入り、竹本が直人の帰りを待っていたという。

申し訳なさに俯いた時、会場入り口に姿を見せた周防が直人を呼んだ。

緊張で全身が竦ませて、直人は周防の傍に行く。まだ残っていたギャラリーのオーナーと市川に、精一杯の謝罪をした。オーナーは渋い顔だったが、市川は直人を咎めるどころか礼を言い労《ねぎら》ってくれて、かえって息苦しさを感じずにはいられなかった。

話を終えたあと、事務室に戻りかけた彼女たちがふと周防を呼ぶ。明日の確認らしい話を聞きながら息を吐くと、後ろで控えていた竹本に肘を引かれた。

「帰ろう」との言葉に頷いたあとで、周防に断っておかなければと思った。足を止めて振り返りかけた時、後ろから低い声が聞こえてくる。

「竹本。ナオは置いて行ってくれ。俺が連れて帰る」

「でも周防サン、まだ帰りませんよね？　譲原、今日は早く帰した方がいいですよ」

ふたりのやりとりを聞きながら、ふっと違和感を覚えた。何だったたっけと考えているうち、いきなり直人は思い出す。

「……すみません。おれ、自転車取りに行かなきゃ」

レンタサイクルを、途中のコンビニエンスストアに置き去りにしてきているのだ。

「まじか。んじゃタクシー拾うかー。どのあたりだ？」

「……竹本。いいからナオは置いていけ。終わったら、俺が一緒に取りに行く」

「一緒ったって、周防サンはバイクでしょう。結局は譲原ひとりで自転車返しに行くことになりますよね？　だったら今回はオレが行きますよ」

「いえ。ひとりで平気です」

竹本と周防の申し出をどちらも断って、直人はどうにか笑ってみせる。

「おれのせいだから、後始末も自分でします。——じゃあ、お先に失礼します。お疲れさまでした」

13

駅前のやや外れでレンタサイクル返却所を見つけた時、直人《なおひと》はまずほっとした。

自転車から鍵を抜き、すみに作られた返却用ボックスに落とす。箱の底に鍵が落ちる音を聞いて、ようやく「終わった」と思った。

流しのタクシーを拾ってコンビニエンスストアに戻って、自転車に乗って返却所を探してここまで来るのに、約一時間半もかかってしまった。マップ上ではもっと近くに返却所があったけれど、知らない土地で徒歩で駅を探す気力がなかったから、あえてここにしたのだ。

「……疲れた……」

ガードレールに腰を下ろして、直人は等間隔に街灯の明かりが灯《とも》る夜の通りを眺める。住宅地に面した駅らしく、通りを行く人影はまばらだ。何時頃だろうと開いた携帯電話の画面は真っ黒で、電源ボタンを長押ししても反応がない。どうやら充電が切れたらしい。

ため息混じりに、直人はのろのろと駅に向かった。案内表示を頼りに明るい構内を横切って切符売り場に立つと、壁際に表示された路線図兼料金表を見上げて途方に暮れた。

知らない駅名だと思ったのも道理で、これまで一度も乗ったことがない路線だったのだ。おまけに、直人のアパートの最寄り駅名はどこを探しても書かれていなかった。

「困った、かも……」

柱に凭《もた》れて立ち尽くしたまま、「帰りたくないな」と思った。

今日という今日は、何もかもが見事にぼろぼろだ。アパートに帰ったら今朝の出来事を逐一思い出して、地の底まで落ち込むに違いない。

飲みにいきたい気分だが、今日は日曜で時刻も遅い。おまけに、今飲んだら絶対にさっきしでかしたばかりのバイトのミスか、レンアイ関係の愚痴が出る。前者は誰にも言いたくないし、後者は大学の友人に言うわけにはいかない。

おとなしく帰って寝るかと思った時、頬《ほお》に視線を感じた。考える前に目を向けて、直人は「あれ」と思う。

切符売り場の前にいた同世代の男が、覗《のぞ》き込むように首を伸ばした格好でじっと直人を見ていたのだ。身長は直人と同じくらいで、軽く色を入れたさらさらの髪にジーンズと、その腰を覆う上着というラフな出《い》で立ちが、いかにも学生ふうだ。

見覚えがある顔だ。どこの誰だったかと眉《まゆ》を寄せた時、相手の顔がふいに明るくなる。

「やっぱり！　リョウの友達のナオだよね？　おれ、覚えてない？　去年、何回か『ＢＯＷ』で一緒に飲んだんだけど」

「……あ。そうだった。えーと、そっちは……イクヤ、だっけ？」

高めの声で呼ばれた瞬間に、相手の名前が脳裏に浮かんできた。しどもどとそれを口にすると、彼――イクヤは「あたりー」と男にしては美人な顔で笑う。

「ＢＯＷ」は直人と阪井《さかい》が知り合ったバーで、同性を恋愛対象にする人間が集まる場所だ。去年の夏休みを目前に出入りするようになった直人にとって、その店で初めてできた友人――飲み仲間が、噂のリョウだった。

イクヤは、そのリョウの友人なのだ。飲み屋で偶然出くわした時に誘われて、何度か三人で飲んだ。酔った勢いでかなり突っ込んだ話もしたが、感覚的には友人というより知人に近く、年明け早々に偶然会ってからは一度も顔を合わせていなかった。

「ここで何やってんの？　このへん、ふつーの家しかないはずだけど」

「バイトの帰り。自分の居場所がわからなくて気力が果てかけてたとこ。イクヤは？」

「彼氏を見送った帰りー。そんで、自分の居場所がわからないって何」

最後の問いを気がかりそうに言われて、相変わらずだなと思った。

初めて竹本《たけもと》に会った時に連想したのが、イクヤのことなのだ。見た目はミステリアスっぽい高嶺《たかね》の花なのに、話してみるとあっけらかんと明るい元気印で、その落差に勝手に失望する手合いがいるという。本人に言わせると「謎なんかあるか、そのまんまだ」ということらしいが、つきあう相手には事欠かないはずなのに毎度のようにわざわざ年上の既婚者を選ぶあたり、立派に謎な奴だと直人は思う。

「乗り換えとか、全然不明。駅員さんに訊《き》いてみようと思ってたとこ」

「そんで、そんな顔してたんだ？　最寄り駅ってどこ」

素直に駅名を答えると、イクヤは「あそこかあ」とあっさり頷《うなず》く。取り出した携帯電話で誰かと話し始めたかと思うと、二分と経《た》たずに礼を言って通話を切った。振り返るなり、直人の肘《ひじ》を摑《つか》む。

「今日中に帰れたらいいんだよね？　だったらちょっとお茶しよう。こっちこっち」

え、と思っている間に引っ張られて、駅構内と隣接したファストフード店に連れ込まれた。人気《ひとけ》もまばらな店内の、窓際の席に座らされてぽかんとしている間に、イクヤがふたり分の飲み物を買って戻ってくる。片方を直人の前に置いて言った。

「帰りのルートだけど、こっからだとバスで移動して別路線の電車を使った方が、乗り換えも楽だし時間もかからないって。ついでに今の時間だと、待合いとかの関係で最終のバスに乗るのが一番繋《つな》ぎもいいってさ。まだ時間あるから、ここでちょっと休憩していきなよ。この際だからつきあうからさ」

「え、いいよ。もう遅いし、そっちもこれから帰るんだろ？」

直人の言葉に、イクヤは真面目《まじめ》な顔でテーブルの向かいに腰を下ろす。ごそごそと上着を脱ぎだした。

「おれは平気。こっからウチまで歩いてすぐだし、ここで置き去りにするのは人の道に反してる気がして落ち着かない」

「は？　何だそれ」

「疲れ果てた顔、してるからさ。とにかくそれ飲んで休憩したら。乗り換えは書いとくし」

言うなり、イクヤは財布を開いてレシートを取り出した。ペン立てからアンケート記入用の鉛筆を取ると、すらすらと文字を書き付けていく。四苦八苦しながら脱いだ上着を横に置き、首を伸ばして覗いてみると、彼推薦の最終バスは約一時間後に、この駅前から出るらしい。バス会社の名前の下には、直人にとって馴染《なじ》みの路線名が書かれていた。

「乗り換えの路線とか、バスとか。よく知ってたな」

「そっちらへんに知り合いがいて、何回か遊びに行ったことあるんだ。ところで腹は減ってない？　大丈夫そうだったら、何か食べといた方がいいかも」

うん、と曖昧《あいまい》に聞き流して、直人は紙コップを手に取る。啜《すす》ってみて、それがホットのカフェラテだと知った。

「……さっき、彼氏を見送った帰りって言ってなかったっけ」

「言った。最終の新幹線に乗るんで、ホームでお見送りしてきたんだ。次に会うの、年末になりそうだし」

「年末なのか。……けど、今日って日曜だよな」

「日曜だよ？　明日からふつーに大学あるし」

直人の言葉に、イクヤが鉛筆を握った手を止めてきょとんとする。不思議そうに直人を見たあとで、何か思い当たったように何度か頷いた。

「意味わかった。ナオ、リョウから聞いてないんだ？　おれ、不倫すんのやめたんだよ。今つきあってる人はちゃんと独身。仕事の関係で遠方にいるんで、世に言うエンキョリレンアイやってんの。おかげで会うのは基本、土日祝日なんだよね」

「……まじでか。どういう心境の変化だよ」

言ったあとで、酒の席でもないのに突っ込みすぎたと気がついた。慌てて口にフタをして「ごめん、今のなし」と訂正した直人に、イクヤは屈託なく笑う。

「いいよ。みんな同じようなこと言ってたし、リョウなんか文句言うわ愚痴るわだったしさ」

「愚痴って、何でリョウが？」

あの店での飲み友達は、つまり恋愛対象にならない相手、だ。直人にとってのリョウはそれだったし、そのリョウもイクヤも認識は同じだった。だからこそ酒の勢いで突っ込んだ話ができたし、互いの愚痴を言い合ったりもできたのだ。

レシートに鉛筆を走らせながら、彼は言う。

「リョウさ、おれが妻子持ちとつきあうの反対してたじゃん？　必死で説得しても全然聞かなかったくせにとか、せめて相談くらいしてみろとか、そんな感じでぶーたれられた」

「ああ、なるほど。蔑《ないがし》ろにされた気分ってわけだ」

三人で飲むと、リョウは決まってイクヤに「既婚者はやめろ」と説教していた。好きになった相手がたまたまそうだったならともかく、好みの条件に「既婚者」を上げるのは間違っていると主張する。そのたび、イクヤは「いいじゃん別に」と受け流していた。

「たぶん、そう。さすがにもう機嫌は直してくれたけどさ。――そういや、ナオは不倫には反対したけど、おれを止めたりはしなかったよね。すごい実用的な忠告してくれたの、覚えてるよ。どうせ長続きしないんだから相手の家庭だけは壊すな、って」

「よく覚えてんなあ……かなり前の話だろ、それ」

すらすらと並べられた台詞《せりふ》には確かに覚えがあって、直人は相手の記憶力のよさに呆《あき》れた。

手を止めたイクヤが、鉛筆をペン立てに放り込む。レシートの皺《しわ》を伸ばして直人に差し出しながら、やけにしみじみと言った。

「だって、すごく印象が強かったんだよ。その頃、ナオがつきあってた相手の話もひどかったしさ」

「……そうだっけ。どんな相手？」

「つきあうようになって二か月目に、彼女にプロポーズしてOKもらったってナオに報告したっていう人。十近く年上の会社員だったたっけ？　半年後に結婚するけど、式の前日までは恋人だよとか寝言みたいな台詞吐かれて即別れたって、ナオが自分で言ったんじゃん」

「あー……あったな、そういうの」

直人が大学生になってできた、ふたり目の恋人のことだ。「BOW」で声をかけられ、いいなと思って一緒に飲むようになって、何度目かにホテルに誘われた。

土日祝日は休みが取れないとかで、会うのはいつも平日の夜だった。それをまったく不審に思わず、直接言われるまで向こうに彼女がいるなど考えもしなかった自分も相当鈍かったと、今はつくづく反省している。

「おれ、何気にそのパターンが多いんだよな。実は彼女がいたとか、同時進行で彼女ができるとか」

「ああ、うん。それも聞いた。けど、基本的に相手持ちは避けてるんだよね？」

「当たり前じゃん。どうせ長続きしないのに、何でわざわざそんな面倒なのとつきあわなきゃならないんだよ」

カフェラテのカップを手のひらでくるむようにしながら、そういえばその話をした時、リョウが噴火の勢いで怒ったんだったと思い出す。最初は相手の男に向かっていたはずの矛先がどういうわけだか途中で直人に向かってきて、つくづく往生させられたのだ。

（だいたいナオもナオだ！　何でそんなのとばっかりつきあってんだよっ？）

「今の彼氏はきちんとした人なんだって？　サカイさんて言ったっけ」

「……リョウが喋《しゃべ》ったわけだ？」

阪井と出会った場所が「ＢＯＷ」だったので、リョウには早々にバレた上に興味津々に問いただされたのだ。確信を持って目をやると、イクヤは悪びれたふうもなくにっこりと笑う。

「すごい喜んでたよ。今度こそ独身で彼女なしだって」

言葉通りリョウが正しく「喜んだ」んだろうと察しはついて、腹を立てるのが馬鹿らしくなった。肩を竦《すく》めて、直人は放り出すように言う。

「とっくに別れたよ。残念なことに、あの人もそんなのだった」

「え……え？　だって」

「女子大生の彼女を作ったんだ。そういうわけで、おしまい」

唖然《あぜん》としたように黙った彼に笑顔を向けてから、直人はわざと話を元に引っ張り戻した。

「そっちは何でいきなり宗旨変え？　何かきっかけでもあった？」

きれいな顔立ちと裏表のない態度が相俟《あいま》って、イクヤを狙《ねら》う客は「ＢＯＷ」でもかなり多かった。声をかけてくる相手も、同世代から年上まで幅広かったはずだ。そのすべてを断って、彼は「かなり年上の妻子持ち」を選んでいた。

それが、どうしていきなり独身相手の、しかも遠距離なのか。

「きっかけかあ。……今の彼氏に出会って好きになったことかな」

「それ、ただの惚気《のろけ》だろ」

「だって、本当に好きなんだよ。あの人に会ってから、おれの人生変わったって感じだし」

呆れ混じりに突っ込むと、イクヤは照れたように笑う。

嬉《うれ》しそうな笑顔の吹っ切れたような明るさを、眩《まぶ》しいと感じた。咄嗟《とっさ》に返事ができずにいた直人に、イクヤはふと真顔になる。

「さっきのお返しっていうか、前から気になってたこと訊いていい？　ナオはさ、今でもどうせ長続きしないって思ってるんだ？」

不意打ちの問いに、完全に虚を衝《つ》かれた。返答に迷った直人をじっと見つめたままで、イクヤは真面目な顔で言う。

「ナオの『どうせ長続きしない』って、おれがそうだったのとは意味が違うよね。おれはわざと既婚者とつきあってたから当たり前だけど、ナオはそうじゃないじゃん？　なのに、何でそういう台詞が出るのかなって」

向けられる視線が鬱陶《うっとう》しくて、直人はわざと視線を逸《そ》らす。ため息混じりに言った。

「……選んだつもりで、結局は二股ってパターンになるからだろ。癖になってるのかもな」

「ナオの『どうせ長続きしない』は初めて会った頃から聞いてたって、リョウは言ってたよ」

「おれのことはどうでもいいだろ。それより、そこまで好きな彼氏と遠距離で平気なんだ？　今度会うのが年末って、そんなので続くと思ってるわけ」

言ったあとで、底意地の悪い物言いをしたと思ってひやりとした。

直人が謝る前に、目の前でイクヤが顔つきを変える。真剣そのものの顔で、断言した。

「続くよ。意地でも続ける。絶対に、終わらせない。少なくとも、おれはそのつもり」

その瞬間、自分の胸のずっと底の、――小さいけれど深く穿《うが》った穴の奥に隠れていたものを、ふいに目の前に抉《えぐ》り出されたような気がした。

言葉を失った直人を、イクヤは真顔で見つめている。その顔つきに、いたたまれない気持ちになった。

「……悪い。余計なこと言った」

やっとのことで絞った声は、変なふうにしわがれていた。

「こっちこそ、変に詮索《せんさく》してごめん。――あのさ、そろそろバスの時間だから、出る？」

そう言うイクヤの表情は、もう見慣れたものに戻っていた。

店を出たあとで、イクヤはわざわざバス停までついてきてくれた。さほど待つこともなくやってきたバスが停まるのを待つ間に、思いついたように言う。

「よかったらまた今度、リョウも誘って一緒に飲まない？」

目の前にある気まずさを、ひとまずリセットするための言葉だ。すぐにわかったから、直人は頷きを返してバスに乗り込んだ。

がら空きだった座席の後ろの方に腰を下ろすのとほぼ同時に、バスが動き出す。

たぶんイクヤが見送っているだろうと思いながら、窓の外を見ることができなかった。夜に塗られて鏡となった窓ガラスに額《ひたい》を押しつけて、直人は自分の影で自分の顔を隠す。

どうせ長続きしない。

それは確かに直人の口癖だ。リョウと顔を合わせるたびに、「それってどうよ」と指摘されていた。

（究極にはそうだけどさ。最初っからそれ言ってたら、何も始まらないだろ）

リョウのその言葉が正しいことは、わかっている。けれど、直人の内側に食い込んだ「どうせ長続きしない」というカードは、どうにも消えてくれない。

――小学生の頃の直人の家は、傍目《はため》には何の問題もない、穏やかな優しい家庭だった。両親とも直人に優しかったし、それぞれ本当の意味で直人を気にかけてくれていた。

大好きだったその両親の関係が実は冷え切っていたことを直人が知ったのは、中学最初の夏休みが始まった頃だ。部活を終えて帰宅したら、両親が居間で喧嘩《けんか》をしていた。

直人の知る限り、些細《ささい》な言い合いも滅多にしない両親だったはずだ。熱烈な恋愛結婚で、直人が幼い頃は子どもなりに呆れるほど仲がよかった。

それなのに、ドア越しに漏れ聞こえる会話で、これまでたびたびそうやって言い争っていたのだとわかった。悲鳴も怒号も泣き声もない、事務的で凍ったような言葉の応酬を聞いているだけで気持ちが切りつけられるようで、直人はその場で固まってしまった。聞かなかったことにしようと思ったのに、玄関に引き返す途中で廊下の電話台にぶつかった。ドア越しの声がふっと途切れ、居間のドアが開いて両親が顔を出した。

廊下と居間の入り口で三人で顔を合わせたあの時に、たぶん両親の間を辛《かろ》うじて繋いでいた糸がふっつりと切れてしまったのだ。

その夜、心を決めたらしい両親から、自分たちの間はもう駄目なんだと聞かされた。子どもだからこその恐怖に襲われ、思い切って「離婚するの」と訊いたら「直人が成人するまでは家族でいる」と言われたのだ。

以降、両親は直人に関することだけでしか口を利かなくなった。

中身のない空箱を、「家族」として大事に飾っているようなものだ。直人がいれば両親はこれまで通り会話したり笑い合ったりするのに、直人が抜けただけで色が抜けた視線を相手に向けてしまう。直人は父親も母親も好きで、だからそのふたりが互いを道端に落ちている石のように扱うのを、目の前で見ているのが苦しかった。

――入り用でもない空箱を飾っておく理由が直人にあるというのなら、直人自身がそれを捨ててしまおうと決めたのだ。そのために全寮制の高校を選んで、必死になって勉強した。合格通知を貰《もら》ったその日、両親を前に軽い口調で「もうやめていいよ」と言いながら、これで終わるんだと心底ほっとした。

……そのくせ、気持ちのどこかで両親が考え直してくれないかと思うことをやめられなかったのだ。直人が投げ捨てたその箱を、両親のどちらかが――あるいはふたりが拾ってもう一度中身を見直すことを考えてくれないかと、小さな期待を抱《いだ》いていた。

期待は、きれいに裏切られた。両親ともがほっとした顔をして、直人に「本当にそれでいいのか」と訊いてきた。

呆然《ぼうぜん》と頷きながら、直人は「こんなに簡単に終わってしまうものなんだ」と思った。

直人の両親は、直人が高校の寮に入った日に離婚届を出した。

届けを出すならその時に、三人で行こう。そう提案し、押し切ったのは直人本人だ。理由の半分は意地であり、残り半分は最後まで見届けようという気持ちだった。

たった一枚の紙切れを、提出しただけだ。なのに、その直後から両親の間の空気がふわりと緩んだのが、当時の直人にも伝わってきた。

「直人が成人するまで」というのは、両親が何年も考えた末に決めた最後の妥協点だ。他でもない直人がそれを突き崩したのだから、両親を責めるのはお門違いだ。それに——離婚したあとの両親がそれぞれ穏やかな家庭を持った今となれば、あれでよかったんだとも思う。

知っていて、それでも直人の中からあの時の深い失望が消えない。色褪《いろあ》せることなく、今も鮮やかに残っている……。

「——」

数年ぶりに抉った記憶は、笑えるほど鮮明な色をしていた。バスから乗り換えた最終電車の座席に腰掛けて、直人はきつく唇を嚙《か》みしめる。

直人が二度目に「長続きしない」と思い知ったのは、全寮制の高校でつきあっていた恋人——友人と、一年半前に縁が切れた時だ。

自分で招いた失望を抱えて入った高校の寮で、直人は同じ新入生と同室になった。当時平均より小柄だった直人とは対照的に、学年一背が高かった彼は、見た目通りの快活な性格をしていた。落ち込んで引っ込み気味だった直人を気にかけて、クラスでも寮でも人の輪の中に引き込んでくれた。直人が天文部に入ると言ったら「面白そうだから」とついてきて、いつの間にか学内でも寮でもずっと一緒にいる、親友のような間柄になっていた。

高校最初の夏休みを終えて寮に帰った日に、直人は彼から「ずっと好きだった」と告白された。

その頃には、疎《うと》い直人も寮内でそういう意味で「つきあっている」同士がいることは聞き及んでいた。とはいえ直人には他人事《ひとごと》でしかなく、だから素直に無理だと答えた。そうしたら、彼から「気持ち悪い?」と訊かれたのだ。

自分でも不思議なくらい嫌悪感がなかったから、躊躇《ためら》わずに首を横に振った。そうしたら、「急がないから考えてみてほしい」と言われたのだ。

たぶん、その時点で直人は捕《つか》まっていたのだろう。友人として接しているはずが、過剰に彼を意識するようになった。目が合うだけでどきどきし、腕がほんの少し触れあっただけでびくりとするようになって、いつの間にか彼に対して友人以上の感情を抱いていた。

当然のことに変化はすぐに気づかれて、冬を前にして直人は彼と恋人同士になった。

無邪気で幼い恋は楽しくて嬉しくて、両親との経緯《いきさつ》で空白になっていた直人の中を満たして安心させてくれた。

ずっと続くんだと、何の根拠もなく思い込んでいたのだ。別々の大学への進学が決まった時も、十分行き来できる距離だからと——何よりも、ふたりで重ねてきた三年間があると安心していた。

変化は、大学に入学してまもなくやってきた。彼が寄越《よこ》したメールに、可愛い女の子の写真が添付されるという形だった。

彼女ができた、つきあうことにした、という文面を見たまま、呆然としていた。我に返り、午後の講義をさぼって会いに行ったら、彼は困った顔で言ったのだ。

――あれはあの寮だからのお遊びだろ？　まさかナオ、まだ続けるとか言う？

返答を失った直人を見下ろす彼の顔に、嘲笑《ちょうしょう》や侮蔑《ぶべつ》の色があったら、まだましだったと思う。本当の本気で直人を心配して、彼は続けたのだ。

――だって、どう考えても無理だろ。男同士じゃ結婚できないし、子どもも作れない。他の友達や親にも言えないよな？　そういうのは不毛だから、もうやめた方がいいよ。俺とはさ、最初の時みたいに友達に戻ろう。それが一番だろ？

彼の最後の台詞を聞いた時、――直人の中で何かが粉々に砕ける音がした。

何も言えずにふらふらと自宅アパートに戻ると、追いかけるように彼からメールが来た。彼女の友達で直人に紹介したい子がいるから、近く時間が取れないかという内容だった。

翌日、直人は彼に一言だけの断りのメールを送った。その後も彼からはメールや着信があったけれど、直人はいっさい返信せず、電話にも出なかった。

自分でも笑えるほど落ち込んで、しばらく何も考えられなかった。何で、どうしてという疑問符ばかりがぐるぐると頭を回り続けて、――一か月が過ぎる頃になってやっと悟った。

彼が言ったことは確かに正しいのだ、と。

直人の両親のように結婚して子どももいて、それでも続かない夫婦だっているのだ。だったら、そのどちらもあり得ない男同士の関係など、そもそも続くと思う方がおかしい。

すうっと気持ちが冷えたと思ったら、自分でも呆れるほど簡単に諦《あきら》めがついた。あの時から、直人の内側には空白が広がったままだ。

……そのあと、直人は自分なりに努力した。女の子とつきあってみるつもりで、誘われれば断らなかったし、自分からも声をかけてみた。

一か月で、直人は音《ね》を上げた。――自分でも笑えるくらい、女の子に興味が持てなかったからだ。可愛いのに、その先に進もうと思えない。きれいな花を眺めている時と同じで、一緒にいたいとも触れてみたいとも思えなかった。

悩んで悩んで、けれど誰にも言えずにインターネットで情報を探した。――そこで「BOW」を知り、思い切って足を運んだのだ。

会社員ふうの男に誘われても、抵抗を感じるどころか楽しいと思う自分に呆れた。女の子相手には絶対に芽生えない気持ちが溢《あふ》れてくるのを自覚して、それで諦めがついた。

最初から、「続かないもの」と知っていればいいだけだ。一時のつきあいならたいていのことは受け流せるし、そうすれば物事が拗《こじ》れることもない。軽く浅く楽しくというスタンスでいる方がかえって相手には不自由しなかったし、割り切ってしまえば気楽になった。

安易だろうが刹那《せつな》的だろうが、下手に深入りするよりはいい。深く関わらなければ余計なことを見ることも聞くこともないし、口を挟んで後悔することもない。

終わったあとで、大事なものが壊れてしまう心配を、しなくていい――。

自分なりに悩んで考えて、必死で見つけた答えだ。なのに、なぜこんな気持ちになるんだろう。大事な何かを間違えているような、追いつめられているような焦燥を感じるんだろう？

（意地でも続ける。絶対に、終わらせない）

耳の奥で、イクヤの言葉が響いていた。

痛むほどきつく奥歯を噛みしめて、直人は流れていく窓の外の闇を見つめていた。

14

翌月曜日の夕方、大学を終えた直人が珈琲店《コーヒー》「沙羅《さら》」でのアルバイトをしていると、清水《しみず》がひょっこりと顔を見せた。

予想外のことに、「いらっしゃいませ」と言いかけた声が途中で固まった。そんな直人にいつもの笑顔を向けたあとで、清水はカウンター内のマスターに声をかける。

「こんにちは。すみません、譲原《ゆずはら》くんを五分ばかりお借りしていいですか？」

マスターの返事は無愛想な頷きだ。お冷やのグラスを用意していた直人に、目顔で行ってくるよう伝えてくる。

ひとつ息を呑《の》んで、直人はトレイとメニューを手にカウンターを出た。窓際のテーブルについた清水の前にグラスを置いて、自分から「あの」と切り出す。

「周防《すおう》さんから、報告は行ってると思いますけど。おれ、昨日の仕事でミスをして、周防さんと竹本さんの足を引っ張りました。本当にすみません。反省します」

「うん。聞いてる。でね、ナオくんには早めに領収証を出しておいてほしいんだ。レンタサイクル代と地図代と、あと往復のタクシー代。遅くとも今週中に頼むね」

あっさりと告げられた内容に、直人は慌てて首を振った。

「いらないです！　本来、使う必要はなかったはずのお金ですから」

「それはうちの方針に反するから却下。あと、周防からナオくんに伝言」

ぎくりとして、直人は全身を緊張させる。そのあとで、昨夜にきちんと周防と話していなかったのを思い出した。

最終的に、直人のミスの責任を被《かぶ》ったのは周防だ。オーナーや市川《いちかわ》に謝罪する時も、直人の隣で深く頭を下げて詫《わ》びの言葉を口にしていた。

本来だったら、あのあとで直人は周防に謝って詫びなければならなかったのだ。周防にしても、きちんと反省会をして注意しておかなければならないことがあったに違いない。実際に、あの時の周防は帰ろうとした直人をわざわざ呼び止めた。

今になって気づいて、すうっと背すじが寒くなった。硬直したまま次の言葉を待っていると、清水はしかつめらしい顔で直人を見る。

「ミスの件は、ダブルチェックを怠《おこた》った自分にも責任がある。むしろナオくんのフォローで助けられたんだから、あまり考えすぎないように。——だそうです」

告げられた言葉は優しすぎて、とても鵜《う》呑《の》みにはできなかった。ひとつ息を飲み込んで、直人は反論する。

「あのミスは全面的におれの不注意で、周防さんや竹本さんには関係ないです。おれが、周防さんが作ってくれたチェックシートさえ確認していれば起きなかったはずで」

「確かにね。報告を聞いた限りごく初歩的なミスだし、ナオくんが言うようにチェックシートの確認さえしておけば防げたはずだ。うまい具合にその日のうちに解決したし、個展にも支障はなかったけど、ギャラリーのオーナーや依頼人に心配をかけて、本来必要のない時間まで会場に残ってもらうことにもなった。そこは、きちんと反省しなきゃならない」

「はい」と頷いた直人をじっと見つめて、清水は続ける。

「何の仕事でも同じだけど、特にうちみたいな事務所は信用が一番大事なんだよ。その意味で、今回は本当にラッキーだった。依頼人は結果オーライだって不問にしてくれたし、ギャラリーのオーナーに口添えまでしてくれた。けど、毎回そう都合よくいくとは限らない」

「……わかります」

「じゃあ、次の時は十分気をつけて、同じ失敗をしないようにしてください。ってことで、この件はもうおしまいにしていいよ」

え、と顔を上げた直人に、清水は笑って言う。

「ナオくんは最大限のフォローをしてくれたよね？　それでチャラにしよう」

「だけど、それは」

「だけどはなし。僕の注文はコーヒーフロートでよろしく。――ああそうだ、もうひとつ。今日僕が伝言を預かってきたのは、周防が忙しくて時間が取れないからだからね」

「え、……」

「さっきの注意も、本当はあいつが自分で言いたかったみたいだよ。そのつもりで昨夜ナオくんに電話したら、繋がらなかったって。メールは送ったって言ってたけど、届いた？」

問いに、直人は「あ」と瞬《しばた》く。同時に、張りつめていた気持ちがふっと緩んだ。

「おれの携帯、昨夜充電切れしてたんです。今朝になって、周防さんと竹本さんから着信とメールがあったのに気がついて……メールは、午前中に返したんですけど」

いったん言葉を切って、直人は思い切って言う。

「周防さん、ずいぶん忙しいんですか。人探し中とかですか？」

「今の時間は、例の個展会場に詰めてると思うよ。開催期間中はずっとそうなる契約だから」

「期間中ずっと、ですか……？」

「前に言わなかったかな。もともと依頼人は周防の知り合いなんだよ。初めての個展をやる時は絶対周防についててもらうって、ずいぶん前から約束してたみたいでね」

「――――」

昨日と一昨日に何度も目にした、周防と市川のツーショットを思い出す。胸の痛みから目を逸らして、直人はどうにか「そうなんですか」と返し、カウンターの中に引き返した。

直人が運んだコーヒーフロートを美味《おい》しそうに平らげた清水は、二十分後には席を立ち、支払いを終えて帰っていった。

それを見送りながら、直人は昨夜のうちに周防から届いていたメールを思い出した。内容は、先ほど清水が口にしたのとほぼ同じだ。ただ、末尾に今日はゆっくり休むようにという労《ねぎら》いの言葉が付け加えられていた。

返信は、午前中の講義の休憩時間に送った。考えて迷って何度も直した文面は、電話に出られなかったお詫びとミスの謝罪を連ねただけの、事務的なものになった。

竹本からも、昨夜のうちに着信が一件と、メールが一通届いていた。昼休みに直人が送ったお礼とお詫びには午後の早い時刻にリターンがあって、近いうち飲みに行こうと誘われた。

周防からは、直人が返信したきり、何の音沙汰《おとさた》もない。

あまりメールはやらないと本人から聞いているし、そもそも直人のメールは緊急でも、回答が必要なものでもない。おそらく、あれでやりとりは終わりだろう。そう思いながら、胸の奥に居座った重くて粘《ねば》い感覚が消えない。

清水に伝言を頼んだのは、少しでも早く直人の気持ちを軽くするためだ。それでなくとも忙しい周防の日中の時間が個展会場に取られたのなら、空き時間が消えてなくなるのは目に見えている。

わかっているのに、つい考えてしまうのだ。――周防は直人に呆れてしまって、直人と話すための時間をわざわざ取る気になれなかったのではないか、と。

一番怖いのは、ミスをしても咎《とが》められないことだ。それは許されたのではなく、見限られたことを意味する。いつかどこかで聞いた言葉を思い出して、背すじがぞっとした。


「沙羅」でのバイトを終えたあと、直人は自転車で事務所に向かった。

魔窟《まくつ》での書類捜索が、なかなか先が見えない状況なのだ。ひとりで落ち込んでいるより、一時間か二時間だけでもやっていこうと思った。

時刻はまだ午後八時半というところだが、珍しいことに事務所の窓明かりは消えていた。さすがに無断で入るのはまずいだろうと、駐輪場から清水に電話を入れる。

『これからやるの？　週末もバイトだったんだから、今日は帰ったらどうかなー』

「早めに切り上げるから平気です。それとも、バイトだけが出入りするのはまずいですか？」

『まずかったら合い鍵なんか預けないよ。んー、じゃあ条件つきで。夕飯はちゃんと食べること、暖房を入れて暖かくすること、あと無理しないこと。ＯＫ？』

苦笑混じりに請け合って通話を切り、事務所の入り口に向かった。

バイト終わりに鍵を閉めて帰ることはあっても、鍵を開けてひとりで入るのは初めてだ。事務室内の明かりを灯《とも》して、直人は念のため入り口ドアを施錠する。

荷物を置いて資料室に向かいかけた時、ポケットの中で電子音が鳴った。

メールではなく、通話の着信だ。携帯電話の液晶画面には「阪井さん」の文字が浮かんでいる。鳴り続けるそれを鞄《かばん》の中に放り込んで、直人は今度こそ資料室に向かった。

――昨日の朝に周防から指摘された通り、阪井はすっかり直人と復縁した気でいるのだ。昨日の昼から深夜にかけても、複数の着信とメールが来ていた。

うんざりして、今日の昼休みに「やっぱりつきあえない。迷惑だから連絡しないでほしい」というメールを送った。その後の通話着信を黙殺したら、「考え直してほしい」「いつまでも待つから」というメールが届いていた。

仕方なく、バイトの前に電話を入れた。通話口で「あり得ない」と断言したのに阪井は退《ひ》こうとせず、「じゃあまた連絡するから」と言われたのだ。

「しつっこい……」

心底うんざりしながら、これが自業自得だということもわかっていた。それで、あえて阪井の電話番号を再登録したのだ。間違って出ないための予防策、兼、度を過ぎた時に着信拒否するための準備のつもりだった。

気分が落ち込みかけている時は、何かに没頭するのが一番だ。よし、と自分に気合いを入れて、直人はクリアファイルに入れた「捜し物」書類の一覧にざっと目を通す。虱潰《しらみつぶ》しにやるつもりで、壁際の奥の本棚から取りかかった。

当初は書類や本をきちんと整理しようと努力したらしく、埃《ほこり》を被った奥の棚では本はきちんと並べられ、書類はまとめて段ボール箱に入れてあった。それを確認したついでに、年代順に重ねて入れ直していく。静かなせいか物音がやたら大きく聞こえて、直人はつい息を潜めてしまう。

黙々と作業を続けていると、急にドアが開く音がした。

最初は空耳かと思った。つい手を止めて息を殺していると、足音が資料室に入ってくる。直人がいる場所からは、本棚が邪魔になってドアの辺りは視界に入らない。

事務所の入り口は施錠しておいたはずだ。それなら清水が来たんだろうかと思った時、大柄な人影が本棚の陰から顔を見せた。

「……——こんな時間まで、いったい何をやってるんだ」

ため息混じりに聞こえた低い声に、返事をするどころかその場で凝固した。床に膝をついたままで、直人はぽかんとその影——周防を見上げる。今日の周防はもう見慣れた全身黒ずくめの格好で、なのにまったく知らない人のように見えた。

昨日のミスをきちんと謝って、反省したことを伝えてフォローしてもらったお礼を言って、昨夜の電話に出ずメールの返信が今日になってしまったことを詫びる。やるべきことは瞬時に思い出したのに、脳と身体《からだ》の連絡が遮断されてしまったように声すら出ない。

長い沈黙を破ったのは、周防の方だった。どこか躊躇いがちに、ぼそりと言う。

「具合がよくないんだろう。なのに、どうしてわざわざ居残りをしている？」

「あ、の……具合だったら、もう平気。ええと、夕方に、清水さんから伝言は聞いた」

自分で発した声や言葉が、錆《さ》びついた機械を無理に動かしたようにぎこちなく聞こえた。それでも、直人は必死に声を絞る。

「言うの遅くなったけど、おれの不注意で迷惑かけて、本当にすみませんでした。フォローしてもらって、すごく助かりました。ありがとうございました」

何を思っているのか、周防は眉を寄せたままだ。その表情を初めて「怖い」と感じて、必死で「いつも通り」を装った。

「電話もメールももらったのに、返信が遅くなってすみませんでした。携帯の充電が切れて、今朝まで気がつかなくて」

「もういい。……昨日の件は、ダブルチェックしなかった俺の落ち度だ」

「ちが、――それはおれが」

言いかけて、あとが続かなくなる。もっと言うべきことがあるはずなのに、うまく言葉になってくれない。それが、ひどくもどかしかった。

「どっちにしても、今日はもうやめておけ。土曜は徹夜だったんだし、昨夜も帰ったのは日付が変わってからだろう」

「大丈夫、です。おれ、体力には自信あるし。清水さんからも許可はもらってるから」

「駄目だ。帰れ」

どうにか笑って言ったのに、周防の表情はかえって険しくなった。いつになく強い口調に怯《ひる》んでいると、いきなり肘《ひじ》を掴まれる。その力と体温に、勝手に身体が動いていた。

「ナオ？」

「あ、……」

胡乱《うろん》に見下ろす周防と目が合ったあとで、掴まれた肘を振り払ったことに気がついた。

やってしまったと、思った。

本能的に身を縮めた直人を見ていた周防が、軽く息を吐く。今度は痛いほど強い力で肘を取られて、強引に資料室から連れ出された。

「ちょっ……待ってよ！　何で――」

反論する間にも、周囲の風景はどんどん動いていった。椅子《いす》の上の直人の鞄を片手で浚《さら》って事務室の明かりを落とすと、周防は直人を外に連れ出して出入り口を施錠してしまった。

呆気《あっけ》に取られて、直人は傍らの相手を見上げた。

体格の違いは、最初から知っていた。周防がずいぶん鍛えているらしいことも、何となくわかっていた。けれど、こんなふうに——まるで子どもを扱うように、荷物ごと事務所から強引に連れ出されてしまうとは思ってもみなかったのだ。

ぽかんとしていた手に、ぽんとヘルメットを渡された。え、と瞬いていると、上から声が落ちてくる。

「アパートまで送る。乗っていけ」

「……でも！　おれ、まだバイトが」

「おまえ、明日も大学で、サークルもあるんだろう。『沙羅』のバイトも定期で入ってるはずだ。その状況で過剰に無理をしたところで、余計なミスを招くだけだ」

淡々と告げられた言葉は、今の直人にとって剝《む》き出しの刃物と同じだ。ざっくりと切りつけられた先には昨日のダメージが生々しく残っていて、その分だけ痛みが増す。下手なことを言うと泣き言になりそうで、直人はぐっと奥歯を嚙んだ。

気力を総動員して笑顔を作り、直人は意識していつもの声を装う。

「……そ、ですね。んじゃ、今日は帰ります。でも、送ってもらうのはいいです。明日、自転車ないと困るし。おれより、周防さんの方が疲れてるだろうし」

「ナオ。あのな」

「おれ、気がつかないことが多くて。いろいろ、すみません。ありがとうございます。今度

から気をつけます」

今度は笑えたはずなのに、周防は眉を寄せたままだ。ため息をつくと、低い声で言う。

「おまえ、その癖はどうにかしろ。言いたいことがあるならはっきり言え」

「え、……」

「都合が悪くなると笑ってすませるだろう。それをやられると話にならない」

「……――!」

今度こそ、絶句した。表情を取り繕うことができずに、直人は俯《うつむ》いてしまう。落ちた沈黙を、永遠かと思うほど間延びして感じた。

いきなり響いた電子音に、背中を殴《なぐ》られた心地になる。慌てて上着のポケットを探って、ないのを知っておろおろと音源を探した。鞄の中だとやっと気づいて引っ張り出したものの、急《せ》いた指は変なふうにもつれて、硬質な音とともに地面に落ちてしまう。跳ねるように三回転した携帯電話は、そのまま周防の靴にぶつかって止まった。

「……、ごめ――」

狼狽《ろうばい》した直人が手を伸ばす前に、周防が携帯電話を拾ってくれる。その表情が険しくなるのがわかった。受け取った携帯電話に目を落として、直人は間の悪さに呼吸を止める。

液晶画面に表示されていたのは、「阪井さん」という文字だったのだ。

「仕事が終わったようなら、車で迎えに来てもらえ。あの車なら、自転車も乗るはずだ」

「いえ。ひとりで、平気です。——じゃあ、失礼します」

早口に言って、周防の手から鞄を取り戻す。自転車の鍵を外し、追い立てられるように飛び乗った。

振り返ることも、思いつかなかった。息が弾むほどペダルを漕《こ》いで逃げ帰ったアパートの駐輪場に自転車を押し込んで、直人は自分が痛むほど奥歯を噛んでいたのを知る。

(言いたいことがあるならはっきり言え)

(都合が悪くなると笑ってすませるだろう。それをやられると話にならない)

周防のあの言葉に、胸の奥の一番深い場所を抉られたと思った。同時に、頭のすみで周防に誤解されたことを認識する。

(仕事が終わったのなら、車で迎えに来てもらえ)

直人が、阪井とよりを戻したと思われてしまったのだ。すぐ訂正すればよかったのに、そこまで気が回らなかった。あとに続くだろう周防の言葉を、聞くのが怖かったのだ。

「……——」

後ろ手に玄関ドアを閉じて、施錠をする。その時を狙ったように電子音が鳴った。

上着のポケットから取り出した携帯電話に「阪井さん」の文字が浮かんでいるのを目にして、一気に何かが爆発した。開いたそれを耳に当てて、直人は押し殺した声で言う。

「——いい加減にしろよ。もうこっちにその気はないって言ったろ!?」

とたん、通話の向こうがしんと黙った。ややあって、窺《うかが》うような声がする。

『いや、ナオは無事かなって気になっただけなんだけど』

「無事も何も、昼間電話で断っただろ！」

『だってさあ。ナオ、昨夜はずいぶん遅くまでアパートに帰って来なかったろ？　こっちも仕事があるから、ずっと待ってられなくてさ。もしかして、何かあったんじゃないかって』

「……あんた、おれのアパートまで来てたのかよ」

ぞっとしながら携帯電話を握り直して、直人は声を低くする。

「おれがいつどこで何をしてようが、あんたには関係ない。それと、おれにはもう他に好きな人がいるんで。諦めて他探せよ」

『何だよ、それ。誰だよ⁉』

いきなり声音を変えた阪井が続けて口にした名前は、「ＢＯＷ」でよく会う面子《メンツ》のものだ。延々と続きそうなそれを遮って、直人は言う。

「全部外れ。あんたにとっては見ず知らずの人だよ。そういうわけなんで！」

『待てよ。それでおまえ、そいつとつきあってんのか。いつから？』

不意打ちの問いに、返事をするのが一拍遅れた。それが失敗だった。

『言えないのか。じゃあまだつきあってはないんだよな？　それか、本当は嘘だろ。好きな奴なんかいないんだよな？』

「……勝手に決めるな。話作んなよっ」

『だったらそいつに会わせろよ。そうしたら諦めてやるからさ』

「馬鹿かよ。あんた、おかしいんじゃないの？」

言い捨てて通話を切った。直後、再び鳴り響いた電子音に心底うんざりして、直人はそのまま携帯電話の電源を落とす。床に落ちた鞄をそのままに、ふらふらと部屋の中に上がった。

上着を脱ぐ気力もなかった。壁際のベッドにダイブして、直人は枕に顔を埋《うず》めた。

15

「なあ。譲原さ、大丈夫か？」

不意打ちの問いに、埃っぽい床に座り込んで目の前の書類の山を改めていた直人はひょいと顔を上げた。きれいな顔を微妙に顰《しか》めて見下ろす竹本に、いつも通りの口調で言う。

「何がですか。おれ、どっかヤバそうに見えますか？」

「見えない。けど、ヤバそうなにおいがする」

「えー、何ですかそのにおいって。風呂なら毎日、入ってますよ？」

「そっちのにおいじゃない。って、おまえわかってて言ってるだろ……」

やたら長くて深いため息を、吐《つ》かれてしまった。すぐに出ていってしまうかと思ったのに、竹本は傍《そば》の本棚に凭れてじっと直人を見下ろしてくる。

「……手伝ってくれるんですか？　だったら、思いっきり大歓迎なんですけど」

「遠慮する。オレ、そういうのは体質的に不向き」

ちなみに竹本は「見るのも厭《いや》」という理由で資料室を忌み嫌っている。何しろ、中で作業中の直人を呼ぶのにも携帯電話を鳴らしてくるくらいだ。わざわざ室内まで入ってきたのは、最初に直人が箱入りの写真をぶちまけて以降初めてだった。

竹本の言い分を追及するのは簡単だが、下手につつくと藪《やぶ》から蛇の大群が出てきそうだ。それで、直人は「そっすか」と返しただけで作業の続きに戻った。

日曜日の今日は大学もサークルもなく、「沙羅」でのバイトもない。友人から入った遊びの誘いに乗り気になれず断って、結局は例の書類探しのバイトをしに事務所に出てきてしまったのだ。埃っぽい資料室に籠《こ》もって、そろそろ三時間近くになる。

床に積み上げた書類の束のタイトルを確かめては横の段ボール箱に戻す作業は単調で、余計なことを考えずにすむという意味では気楽だ。ばっさばっさとめくっていくうち、考える前に手が止まった。一番上になった書類のタイトルを二度見し、一覧を照らし合わせて、直人は思わず声を上げる。

「やった。ラッキー、一個はっけーん」

間違って紛れ込まないように、持ち込んだ紙袋の中にその書類を押し込む。クリアファイルをめくって該当のタイトルにマーカーでチェックを入れた。さてとばかりに再び書類の束を手に取った時、離れたところでドアが開く音がする。何となくびくりと顔を上げるのとほぼ同時に、聞き覚えのある声とともに本棚の陰から大柄な人影が顔を出した。

「竹本？　ここにいたのか。……ナオは？」

「そこで働いてます。何か用ですか、周防サン」

毎度のことながら、竹本の周防への物言いは敬語を使っているのが無意味なほど突っ慳貪《けんどん》だ。清水に対しても同様だが、ふたりともそれに対して一言もないのが不思議だった。

「週明けの仕事の確認だ。例の個展の撤収」

「そういや、そんなんありましたね。場所変えます？」

「いや、ここでいい。――ナオ、ちょっと時間いいか？　手短にすませる」

「はい」と頷いて腰を上げながら、「例の個展」という言葉に気持ちの奥がざわりとした。竹本の傍に立って、直人は盗むようにほんの二メートル先にいる周防を見上げてしまう。

市川の個展は十日間の日程で、日曜日の今日はちょうど一週間目に当たる。週明けの水曜が最終日で、この時の撤収作業には設営の時と同じメンバーで出向くことに決まっていた。

「撤収は個展終了当日中に完了する。翌日から同じ会場で別の催しがあって、そっちの準備の兼ね合いで二十二時厳守で終了だ。当日すぐ動けるよう、予定表に目を通しておいてくれ。気になる箇所があれば、即連絡を頼む。当日は現地集合で、ギャラリーに十七時だ」

「了解です。けど水曜って、譲原は『沙羅』のバイトが入ってるんじゃ？」

渡された予定表に目を落とした直人が何か言う前に、竹本が指摘する。それに応じるように、周防は竹本に目を向けた。

「『沙羅』には代理が行く予定で、先方にも連絡済みだ。――そうだな？」

「はい。清水さんから、そう聞いてます」

「よし。他に質問は？」

直人の返答に頷いた周防が、念押しのように訊く。肩を竦めて首を振った竹本から、こちらに視線を移してきた。目が合う前に俯いて、直人は「ありません」と口にする。

「時間厳守、遅刻厳禁で頼む。あと竹本、あまりうろうろせずに仮眠しておけ」

最後の言葉は竹本に向けて言って、周防は大股に資料室を出ていった。

大柄な背中がドアの向こうに消えたあとも、直人はしばらく動けなかった。息を吐き、元の場所に戻りかけて、ずっと見ていたらしい竹本の視線に気づく。反射的に、笑顔を作った。

「仮眠てことは、夜中の仕事があるんですよね。起きてていいんですか？」

「あまりよくない。明け方リミットだし肉体労働だし」

「じゃあすぐ寝てくださいよ。でも明け方リミットって、この前と同じような仕事ですか？」

「ハズレ。引っ越しもとい夜逃げの補助」

即答にぽかんとして、数秒後にぎょっとした。直人の反応を面白そうに眺めて、竹本は唇の端を歪《ゆが》める。

「犯罪行為じゃないから安心しろ。そのへん、あの所長はあれで結構煩い」

「でも、夜逃げって……」

「人間が物理的に逃げる理由は、千差万別で奇想天外。周防サンと一緒の仕事なんで、気になるんだったら直接本人に訊いてみな。……ところでおまえ、今着てるシャツって新品？」

「え、いえ？　去年買ったやつですけど」

いきなり変わった話題に困惑しながら答えると、竹本はふんとひとつ頷いて言う。

「譲原。万歳」

「は、え？　い、っ……」

言われるまま、両手を上げたのが運の尽きだ。あ、と思った時にはカットソーの裾《すそ》を掴まれ、着替え中の幼児よろしくするっと脱がされて、じろじろと眺められてしまった。

「ちょ、……何すんですかっ！　竹本さん、セクハラですよっ」

「安心しろ。野郎の裸に興味はない」

「だったら見ないでくださいっ」

取り返したシャツとカットソーを、コンマ数秒の勢いで被り直した。袖《そで》を通し裾を下ろしている間にも、竹本は顎《あご》に指を当てて直人を見ている。目が合うなり、いきなり言った。

「おまえ、周防サンと何があったわけ。あと、別口で厄介事《やっかいごと》に巻き込まれてないか？」

「何もないですし、巻き込まれてもいませんけど」

「嘘つけ。におうんだよ、おまえも周防サンも」

そう言う竹本は、やけに真面目な顔をしている。それで、自分の態度が傍目にも「おかしく」見えているのだと再認識した。

「だからそのにおうって何なんですかー。第一、周防さんてここ最近、とんでもなく忙しくされてて、滅多に顔見ないでしょう。『沙羅』でもコーヒー飲んだらとんぼ返りだし、それじゃ何も起きようがないじゃないですか」

意図的にからりと笑い飛ばして、直人は積み上がった書類の傍に戻った。床に腰を下ろし、一番上の書類の束を手に取りながら気づく。

さっきの周防は、十七時に現地集合としか口にしなかった。三日後のことなのに、直人に「乗っていけ」と言ってくれなかった——。

「ってことは周防サン、『沙羅』に顔出してんのか」

間近でした声にびくりと顔を上げると、いつのまにか竹本がすぐ傍にしゃがみ込んで、直人の手許を覗き込んでいた。

「もともと周防さんはあそこの常連さんなんです。今週も、二回ほどは見えてましたよ。おれはバイト中なんで、話し込むわけにはいかないですけど」

「話さないって、コーヒー飲むだけ？　電話とかメールは？　おまえ、周防サンと個人的な

やりとりがあるんだろ？」

突っ込んだ問いに急所を突かれた気がして、直人は息を呑む。軽い口調で笑ってみせた。

「ここ最近はないですね。特に用事がないからじゃないですか？」

いつも通り笑ったはずなのに、頬に当たる視線は離れていかない。それに気づかないふりで、直人はばさばさと書類を確認していく。

言い合いを中途半端で終わらせた月曜日以降、周防からは電話もメールもない。直人の方もどう切り出せばいいかわからず、何もアクションを起こせていない。

そして、今の直人はまともに周防の顔を見ることができなくなっていた。

一昨日清水から聞いた話では、今週の周防は日中に市川の個展会場に詰めた上、夕方から夜は別の仕事で奔走《ほんそう》しているようなのだ。「沙羅」に来た時もあまりゆとりがない様子で、コーヒーを飲んだらすぐに帰っていってしまう。直人を気にしている素振りこそ見せるものの、以前のような無造作な構い方はしてくれなくなった。

腫《は》れ物《もの》に触るみたいな、というのはきっとこういうことだ。放っておけないのに近づけない。常時気になっているのに、少し離れた場所から遠巻きに眺めるのが精一杯だ。

何もなかったような顔で話しかけてみようかと、何度も思った。けれど、実際に声をかけようとすると、あの時の周防の言葉を思い出してしまう。

（言いたいことがあるならはっきり言え）

（都合が悪くなると笑ってすませるだろう）

だったら、何をどんなふうに言えばいいだろう。どうしたら、周防に不快な思いをさせずにすむだろう？

「周防サン。おまえのこと気にしてたぞ」

え、と反射的に顔を上げた直人を覗き込むようにして、竹本は言う。

「今週。顔合わせるたびに、譲原は大丈夫かって訊かれた。どっかに傷を作ってたら、時間関係なしで即連絡してくれってさ。心当たりは？」

「……何なんですか、それ」

問い返しながら、先ほどの竹本のいきなりの行動が腑《ふ》に落ちると同時に周防の意図がわからなくなった。そんな直人を意味ありげに眺めて、竹本は肩を竦める。

「知らないからおまえに訊いた。あの人にそういうこと言われたのも、これが初めてだしな」

返事に困って瞬いていると、ふいに耳慣れた電子音が鳴った。

竹本に一言断って、直人は携帯電話を引っ張り出す。液晶画面に表示された「リョウ」という文字を、ついまじまじと眺めてしまった。

「出ないのか？」

「あ、いえ。すみません、じゃあ」

怪訝《けげん》そうに言われて、急いで通話ボタンを押した。携帯電話を耳に当てると、間違いなく同類の飲み友達——リョウの声で名を呼ばれる。

『ナオ？　いきなり悪い。今、電話して平気？』

「いいけど……びっくりした。何かあった？」

一年半ほど前に連絡先の交換はしたが、電話が来たのは初めてだ。直人の反応をどう思ったのか、通話の向こうでリョウがけろりと言う。

『ナオさ、今忙しい？　オレ、今「ＢＯＷ」にいるんだけど。暇だったら来ない？』


「ＢＯＷ」は繁華街の中心になる通りから一本奥に入り、ふたつ角を曲がったところにあるショットバーだ。入り口を入ってすぐにカウンター席が並んだ洞窟めいた細長い空間があり、その向こうにちょっとしたホールのような広い場所が作られている。

そのカウンターの前で頼んだ酒が出てくるのを待ちながら、直人は周囲の席を見回した。

やや暗めの照明と耳障《みみざわ》りにならない音量のＢＧＭと広めの空間が受けているのか、この店はいつ来てもそこそこ客の入りが多い。

「お待たせしました。どうぞ。……リョウだったら奥にいるよ」

顔見知りのバーテンダーから硬貨と引き替えにグラスを受け取って、直人はフロアの奥に向かった。

結局、直人はすぐにバイトを切り上げた。竹本の追及から逃げたかったのもあるが、これまでずっと「ばったり会ったら一緒に飲む」パターンばかりだったリョウが、わざわざ電話で誘ってきたのが気にかかったからだ。

「ナオ、こっちこっちー」

奥の広いフロアに入るなり、聞き覚えのある声で呼ばれた。見れば、壁際のテーブルについた金色の頭がぶんぶんと手を振っている。グラスを手に近づくと、日焼けした顔がにっと笑って見上げてきた。

「よ。お疲れ。いきなり悪いな」

「いや、ちょうど飲みたかったから。……?」

語尾を上げて、直人はリョウの隣で畏《かしこ》まっている人影――イクヤに目を向ける。

イクヤとリョウが連れなのはよくあることだが、どういうわけか今の彼はスツールに座った両膝を揃《そろ》え、その上に両手を置くという畏まった格好で、申し訳なさそうな顔で直人を見上げていたのだ。まともに視線がぶつかるなり、いきなりがばりと頭を下げてきた。

「この間は本当にごめん！　いきなりプライバシー侵害だったし無神経だった！」

「……いや、別にいいけど。本当のことだし」

少々気圧《けお》されながら答えると、イクヤは驚いたふうに目を瞠《みは》る。黙っているときれいで喋ると可愛くなる顔が、そうすると妙に幼く見えた。

「で、訊いていいかな。イッタイ何があったわけ。こいつ、何も説明しないんだけどー？」

割って入ったリョウは、行儀悪くテーブルに頬杖《ほおづえ》をついてじろじろとイクヤと直人を見比べている。それへ、慌てたようにイクヤが言う。

「言ったじゃん。おれがナオに余計なことして、厭な思いさせたって」

「それ説明になってないし。ていうかさ、おまえら何つるんでんの。初耳なんだけど」

「たまたま出くわしただけで、つるんでることになるのか。ていうか、おまえ小学生か？」

微妙な声音で拗《す》ねているらしいと知って、直人はつい呆れ声になる。とたん、リョウは不満顔でこちらを見据《みす》えてきた。

「だってこいつ、オレの顔見るなりナオに連絡してくれって泣きついてきたんだぞ。そのくせ理由も言わないってどうよ？」

リョウの外見を一言で言うなら、とにかく「派手で目立つ」だ。髪は金色だし肌は年中黒い上、左右の耳にずらりとピアス穴が空いている。大学生になってそれなりに遊びを覚えたとはいえ、全寮制の高校でも標準的な生徒だった直人にとって、見た目からして合いそうにない。――「BOW」に来るようになった当初、直人はそう思ってリョウを敬遠していた。

親しくなったきっかけは、直人が大学生になって初めてつきあった相手との別れ話だ。明日結婚式だから今日限りで別れようと唐突に切り出されてぽかんとしていたら、横からリョウが突入してきた。

（何だソレ！　ふざけんなよ、アンタそいつを何だと思ってるわけ⁉）

あとになって聞いた話では、リョウはその男がバイだと知っていた上、女性連れで歩いているのを何度か目撃していたらしい。さらに言うなら、同世代で「何も知らなさそう」な直人がその男とつきあうようになったのを知って、どうにも気になっていたのだそうだ。

もちろんその男とは即別れて、その後はリョウと親しくなった。飲み友達になってすぐに、リョウが見た目とは百八十度違い、考え方はむしろ古風で堅実だということを知ったのだ。

「そりゃそうだ。話したらリョウが煩いだろうしな」

「は？　何それ。何でオレが煩いって？」

「おれのレンアイが長続きしないって話。こないだ、阪井さんと別れたからさ」

脱いだ上着を手に空いていたスツールに腰掛けながら言うと、リョウは「へ」と瞬いた。ややあって、「えええええええ」と声を上げる。

「何でだよ。前に会った時は順調だって言ってたろ？」

「阪井さんの家の隣の人におれとのことがバレて、責任取れって言われた。それと、あとでわかったことだけど、女子大生と二股かけられてた」

「……はああ⁉　何だよそれ⁉」

とたんに眦《まなじり》を吊り上げたリョウに平気で経緯を説明できたのは、その出来事が直人にとって「とっくに終わったこと」だからだ。言い終えたあとで、ふっとそう実感した。

一方、リョウの方はかえって収まりがつかなくなったらしい。眦を吊り上げ、物騒な顔で直人を見た。

「……あのさ。今度サカイさん見たら、一発殴《なぐ》っていい？」

「やめといたら。時間と労力の無駄だろ」

即座に突っ込んだ直人を眺めて、リョウは聞こえよがしのため息をつく。

「ナオさあ、前から思ってたけど、相手に譲りすぎ。そうやってなし崩しに許すから、相手が変なふうにつけあがるんじゃん？　少しは怒れよ。抗議しろよ。その彼女んとこ乗り込んで、全部暴露してやれよっ」

毎度ながらの熱い台詞に重なるように、聞き覚えのある電子音が鳴った。あえて指定したメロディに顔を顰めて、直人はポケットから携帯電話を取り出す。

「彼女の方も知り合いだし、そんなのやったって迷惑なだけだろ。ていうか、話はまだ続いてんだよ。阪井さん、その女子大生にフラレたらしくて、よりを戻そうって言われてる。もちろん断ったんだけど、こないだからしつこくてさ。現状はこんな感じ」

今まさに鳴っている携帯電話の着信画面に「阪井さん」の文字が表示されているのを見せつけると、ふたりは揃って呆気に取られた顔になった。

「えっと……それ、いわゆるストーカーとかいう……？」

先に口を開いたのはイクヤの方だ。何だか本気で厭そうな顔になっている。

「引き際がよすぎて、そう呼ぶにはたぶん微妙。電話は日にせいぜい二、三回で、メールも多くて三通まで。で、内容はこうなんで脅迫でもないし」

論より証拠とばかりに、本日昼に届いたメールを表示して見せる。――曰《いわ》く、できれば考え直してほしい。もう一度だけ、チャンスをくれないか、云々《うんぬん》。

まじまじと画面を眺めるリョウは、心底厭そうな顔をしている。直人に視線を戻すと、吐き捨てるように言った。

「通話もメールも着信拒否しちまえよ。いちいち相手してやる義理はないだろ」

「一回やったけど、アパートの前で待ち伏せられた。着信拒否を解除すればうちに来ないって言うんでそうしたら、以降は電話とメールだけになってる」

「げー」と声を上げたリョウに代わって、今度はイクヤがテーブルに身を乗り出した。

「電話とメールだけ？　あとをつけられたり、バイト先に来たりとかはない？」

「それもない。それで、かえって対処に困ってる。――たぶん、向こうはそのうちおれが気を変えると思ってるんじゃないかな。こっちの出方を窺ってる気がする」

「面倒くせ……ナオさあ、新しい彼氏作っちまえばどうよ。そしたらサカイさんも諦めるんじゃね？」

「それ、言われた。会わせたら諦めてやるってさ」

直人の返事に、リョウはよし来たとばかりに頷いた。

「好都合じゃんか！　んじゃ、すぐセッティングしてやるよ。ナオが好きそうでフリーな奴、心当たりあるし！　で、夜はいつなら空いてる？」

「いや、悪いけどそういうのはちょっと遠慮する……」

「何で！　せめて会ってから言えよ、そういうのっ」

ぐいぐいと押して来られて、直人はつい本音をこぼしていた。

「絶望的な片思いだけど、今、おれ好きな人がいるんで。紹介してもらっても無理」

「……は？」

「え？」

言ったあとでやばいと口をふさいでも、無駄だ。一音の返答を微妙にハモらせて、同じテーブルについた友人ふたりは揃えたように直人を見つめてきた。

最初に我に返ったのはリョウだ。睨むような顔で、直人に詰め寄ってきた。

「誰だよそれ。ていうか、好きな人がいるはいいけど絶望的ってのは何！」

「えーと。……これ以上は黙秘権行使ってことで」

「そうはいくか。そこまで言ったら全部吐け。ていうかどこでそういう相手を見つけたんだよ。おまえ、このところほとんど飲み歩いてないだろーが！」

締め上げる勢いで言われて、これはもう無理だと降参することにした。

「バイト先の人で、彼女持ちなんだ。お似合いの美男美女で、おれなんかお呼びじゃない」

とたんに固まったリョウとは対照的に、途中から黙って成り行きを聞いていたイクヤが動いた。少し窺うように声を落として言う。

「それってつまり、相手の人がバイとかでもなくて、ノンケだったり……？」

「そう」と頷くと、とたんにリョウは表情が抜け落ちたような顔になった。数秒、無言で直人を眺めたかと思うと、胃袋まで吐きそうなため息をつく。

「……ナオなあ。何でわざわざ、よりにもよってっていうか……」

「しょうがないだろ。おれだって予定外だったんだ」

「じゃあ考え直せ。つーか、誰か紹介するから会え。そしたら気が変わるかもだろ」

「たぶん無理。告白とかできないし喧嘩したし気まずくなって一週間になるけど、でもやっぱり好きなんだ」

開き直って言い返しながら、そのくせ何となくほっとした。――誰にも言えない気持ちをただ押し殺しているのは、思いがけず息苦しいことだったのだと今になって気がついた。

「ナオ。おまえなあ」

「言いたくなければ無理に言わなくていいんだけど、訊くだけ訊いていい？ ナオが好きな人ってどういう人？」

心底呆れ果てたふうなリョウとは対照的に、イクヤがそろりと訊いてくる。それへ、直人は少し考えて言う。

「バイト先の社員さんで、うちの大学のＯＢ。ついでに阪井さんの隣人で、おれと阪井さんがつきあってたのも知ってる」

「げっ」と声を上げたのはリョウだ。イクヤも目をまん丸にしている。

「……じゃあ、その相手の人ってナオがそっちだって知ってるわけだ？」

「男同士っていうのは理解できないけど、恋愛は個人の自由だって言ってた。自分には関係ないから、気にする理由がないってさ。――趣味が同じだったんで、いろいろ構ってもらってたんだ。一緒にいて楽しかったし、兄貴みたいだと思ってたんだけど」

「気がついたら好きになってた？」

確認のようなイクヤの問いには柔らかい響きがあって、つい素直に頷いていた。

「そっか。仲直り、できそう？」

「わかんね。迷惑も山ほどかけたし、たぶん呆れられてるんじゃないかな。喧嘩ってより、叱《しか》られた感じだったし」

「叱られたって、ナオが？　え、何かやったんだ？」

「やったっていうか……都合が悪くなると笑ってすませるのはやめろって言われた。言いたいことがあるならはっきり言えって」

「あー……またそりゃ、容赦《ようしゃ》ないなあ」

そこでいきなりぼそりと言ったのは、「げっ」のあとずっと無言だったリョウだ。

露骨な肯定に、もともと痛かった場所を思い切り抓《つね》られた気分になった。さすがにまずいと思ったらしいリョウの窺うような視線に無反応でいると、イクヤがあっさりと割って入る。

「けど、そこがナオのいいとこだよね。状況に合わせてブレーキが踏めるから滅多なことじゃ揉《も》めない。リョウだって、ナオの機転でトラブル回避したことがあったよね？」

「それはそうだけど、ナオもさあ、割と煮え切らないっていうか、何でも丸く収めたがるところがあるだろ？　そういうところが相手にナメられるっていうか、図に乗られるんじゃん。オレはさ、ナオはもっと自己主張っていうか、喧嘩しなきゃ駄目だと思う」

「自己主張イコール喧嘩っていうのは短絡的だろ。ていうか、リョウは些細なことで沸騰しすぎの喧嘩しすぎ。けど、そこがリョウの長所でもあるんじゃん？　確かに、ナオはもっと本音を言っていいと思うけど」

リョウを窘《たしな》めるように言ったあとで、イクヤはじっと直人を見た。

「もうひとつ訊いていい？　こないだ駅で会った時、ナオってその人と喧嘩してたりした？」

「……当たりだけど。何で？」

「ナオの雰囲気がいつもと違ってた。ナオって何があっても冷静っていうか、淡々としてるじゃん。前の彼と別れた時なんかも、他人事みたいに落ち着いて相手を見てる感じがしててさ。それが、こないだはらしくない感じに動揺してたから。……それって、その人が絡《から》んでるからだよね」

思いがけない指摘に、直人は目を見開く。それへ、イクヤは笑って続けた。

「だってさ、その人の言い分って、つまり変に我慢せずに本音を言えってことじゃん？　ナオのことをよく見てないと、出てこない台詞だと思うよ」

「――……」

イクヤの言葉に、今まで気づかなかった裏側をめくって見せられたような気がした。同時に、周防と出会って間もない頃、向こうの言葉を――手を上げるような相手との関係は不毛だと言われたのを、男同士の関係を腐されたと誤解したことがあったのを思い出す。

(それをやられると話にならない)

あの時、周防は最後にそう言った。あれはつまり、「きちんと話したいことがある」という意味だったのだ。これまでの周防の言動を思えば、そう解釈するのが一番自然だった。

「ナオさ。いっそのこと、その人に告白してみたらどうかな」

思いがけない提案にぽかんとした直人に、当たり前のことのようにイクヤは言う。

「ナオ、その人には本当の本気だよね。だから、いつもみたいに冷静じゃなくなってるんだよね？　だってさ、ふだんのナオだったら、今おれが言ったくらいのことはとっくにわかってるはずじゃん？」

「そ、……――」

「本当の本気になると、目の前のことだけでいっぱいいっぱいで他のことが見えなくなるんだよねー。威張って言うけどさ、おれ、これでも経験者なんだ。今のナオの状況って、それだと思うよ。だったらさ、覚悟決めて告白するのが一番いいかも」

「って、おい。こら待て、落ち着けって！　イクヤもナオも！」

いきなり割って入ったのは、それまでおとなしく話の行方《ゆくえ》を追っていたリョウだ。やけに必死の形相で言う。

「ナオは本気にすんな、イクヤはちょっと待て！　簡単に言うなよ、だって相手、ノンケだろ？　絶対気まずくなるし、変な目で見られるって。下手すりゃバイトそのものがナシになったりしないか？」

「……それは、ないと思う。たぶん引かれるし困らせるだろうけど、そういうちっこいことするような人じゃない」

考える前に、直人は反論していた。そのあとで、かつて自分もリョウと同じようなことを考えたのを思い出す。

周防が私情に走る人じゃないことを、直人はよく知っている。だからそんなのはただの言い訳で、要するに周防との関係を「兄貴分と弟分」から遠ざけたくなかっただけだった。

ずっとあのままでいたいと思って、なのに同じくらいそれでは我慢できなかった。告白する勇気もなく今まで通りの弟分でいる覚悟も据わらずに、挙動不審になっていた。

言葉が続かなくなった直人の背中を押すように、イクヤは「だよね」と頷く。

「話聞いただけだけど、ナオの言う通りじゃないかって気がする。少なくとも、おれがナオだったら告白するかな」

「……ノンケ相手に？」

思わず問い返した直人を見返して、イクヤは真面目な顔になった。

「うん。駄目もとで相手の人の胸を借りる。でないと、諦められないっていうか、気持ちの整理がつかないと思う。もちろん、告白する時にもう諦めるっていうのもセットで言うけど」

「おい待てって。おまえらさあ……」

「しょうがないじゃん。それでも好きなんだし、だったら二者択一だろ？　距離取って離れて時間を置くか、玉砕して諦めるか」

呆れたように口を挟んだリョウに言い返すと、イクヤは改めて直人に目を向ける。

「聞いた限り、相手の人はちゃんとした人だよね。ナオが本気でぶつかっていったら、答えがどうでも本気で返してくれるんじゃないかな」

その言葉は、まっすぐに直人の胸に届いた。

16

翌月曜日、直人はいつも通り講義を受け、サークルの会合に顔だけ出してから、バイト先の「沙羅」へ向かった。

大学から「沙羅」までは自転車で十五分ほどの距離だ。信号の多い大通りを避けて住宅街の抜け道を走りながら、直人はこぼれそうになる欠伸《あくび》をかみ殺す。

結局、今朝がたまで三人で飲み明かしてしまったのだ。「ＢＯＷ」が閉店したあと、最寄りの駅地下の喫茶店でモーニングセットを食べてからふたりと別れた。そのあとは急いでアパートに戻って諸々の準備をし、すぐに大学に出た。

――あのあと、阪井をどうするかという話に戻ったものの、これといった打開策は出なかった。誰かに彼氏のフリを頼むという案も出たが、こっちの世界は広いようで狭く、どこでどう人間関係が繋がっているかしれない。フリを頼んだ人が阪井を知らなくても、阪井の方がその人を知っているかもしれないし、その場合迷惑をかけてしまう可能性も否めない。何よりそこまで逼迫《ひっぱく》した状況とは言い難いため、そこで話が止まってしまった。

このまま受け流して阪井が次の相手を見つけるのを待つのが、おそらく一番穏便に違いない。そもそもこの事態は自業自得とも言えるから、自己責任でというのが妥当だろう。

ため息混じりに、直人は自転車を「沙羅」の前の駐輪場に入れる。チェーンロックをかけたところで視線を感じて顔を上げ、予想しなかった事態にぎょっとした。

駐輪場の真横の駐車スペースに、見覚えのある白い国産車――阪井の車が停まっていた。おまけにその車の持ち主が、運転席のドアに凭れてこちらを眺めていたのだ。

「なかなか連絡取れないから来てみたよ。ナオ、こんなところでバイトしてたんだな」

「なん、……あんた、どうやってここ――」

まさか、調べたのか。だったら本気でストーカーじゃないかと、ぞっとした。それに気づいたのかどうか、阪井はにこやかに直人の友人――「エル」でのバイト仲間の名を口にする。

そういえばこの間、件《くだん》のバイト仲間と電話で話したんだったと思い出した。

「おまえ、あいつに気が向いたらコーヒー飲みに来いって連絡したんだろ？　水くさいなあ、何でオレには言わなかったんだよ」

「……あんたコーヒー嫌いだろ。それと、あいつは友達であんたは友達以外。おれはあんたとつきあう気はないし、相手する気もないから帰れば」

「何だよ、冷たいなあ。たまにはコーヒーでも飲もうかと思って来ただけだろ？　ああ、でもバイトが終わったあと、ちょっとでいいからナオと話したいな」

けろりと笑う阪井を見ながら、バイト仲間に口止めすべきだったと激しく後悔した。

頭の中で素早く算段しながら、急ぎ足で店に入る。いつものように愛想のない顔で「今日も頼むよ」と言ったマスターを捕まえて、現在進行形でトラブル中の相手が来たので何かあったら自分が連れ出すと伝えておく。その間に、阪井は悠然と入り口扉から入ってきた。

無言で短く頷いたマスターに「すみません」と告げて、直人は急いで荷物を所定の場所に押し込んだ。エプロンをつけて振り返ったら、阪井はわかりやすくカウンター内でのシンク前――つまり直人の定位置の前に腰を下ろして、愛想のいい顔でこちらを見つめている。

「今は客」だと自分に言い聞かせて、お冷やを用意し、阪井の前に置く。オーダーを訊《たず》ねると、「何がオススメ？」と問い返された。これには直人が答える前に、マスターが渋い声で「オリジナルブレンドだね」と口を挟んでくれた。

その後、阪井はコーヒーを二度お代わりまでして長く居座った。持参した本をカウンターに広げた格好で、直人が動くたびに視線だけで追いかけてきた。

窓の外がすっかり暗くなった閉店四十分前に、テーブル席にいた客がレジ前に立つ。応対をした直人が見送っていると、閉じかけた入り口扉が外から止められた。え、と思った直後、入ってきた大柄な人影――周防ともろに目が合ってどきりとし、直後にぞっとする。

店の中には阪井がいる。この状況では、さらに誤解されてしまう。

――だからといって、周防に帰れと言えるわけもない。

「……いらっしゃいませ」

ぎこちなく声をかけた直人に顎先だけで頷いた周防は、いつものようにヘルメットを手にしていた。軽く店内を見回して、阪井のところで一瞬だけ視線を止める。つられて目をやると、カウンター席の阪井が振り返り、驚いた顔でこちらを――周防と直人を見ていた。

動揺を抑えて、直人はカウンターの中に戻る。お冷やを用意しているうちに、周防はいつもの無表情な顔で、阪井とは席ふたつをあけた椅子に腰を下ろしていた。こちらがオーダーを訊く前に、「ブレンド」と声がする。

周防は不自然なまでに阪井に目を向けず、阪井はじろじろと周防に目を向けている。声をかける度胸はないようだが、かなり剣呑《けんのん》な顔をしていた。

巨大な時限装置を、飲み込んだような心地になった。

落ち着かない沈黙の中、周防はここ最近そうしているようにマスターが出したコーヒーをさっさと飲んで席を立った。支払いを終えると、すぐに店を出ていってしまう。

「……あの！　お釣りっ」

周防が支払ったのは小銭でちょうどで、だからお釣りなど存在しない。なのに、直人はそう口走り、あとを追うように店を飛び出していた。

外はすっかり夜だった。周防はすでに駐輪場から引き出したオートバイに跨《また》がり、エンジンをかけている。ヘルメットのシールドを跳ね上げて、直人に怪訝そうな目を向けてきた。

「ごめん。ごめんなさい、おれ——おれが」

自分から声をかけて傍に駆け寄ったのに、言葉がうまく出てこなかった。ただ必死で、直人は久しぶりに周防の目をまっすぐに見返す。

本当にこの人が好きだと、身体の内側から叫ぶように思った。

「おれ。周防さんに、話、さなきゃいけないことがたくさん、あるんです。それで」

情けないことに、半端な声はそこで途切れた。それでも目を逸らせずにいると、こちらを見ていた周防の目許が笑う気配がする。グローブを嵌《は》めた手がハンドルから離れたかと思うと、奥歯を噛んでいた直人の頬をぴたぴたと叩いた。

「落ち着け。話は必ず聞くから、いったん店に戻れ。バイト中だろう。その格好だと風邪を引くぞ」

「う、ん。あの、ええと」

「水曜。乗っていく気があるなら、明日中にメールしろ」

言ったきり、周防はヘルメットのシールドを下ろしてハンドルを握る。急いでいるんだと察して直人が後じさると、軽く頷くようにして走っていってしまった。

遠ざかるエンジン音を聞きながら、全身から緊張が抜けているのを自覚した。安堵《あんど》のあまり泣きそうになって、直人は二の腕で目許を擦《こす》る。そのあとで、自分がシャツにエプロンのまま飛び出していたのに気がついた。

「すみません。勝手をしました」

「いや。お釣りが渡せたならいいよ。それより、片づけを頼んでいいかね」

引き返した店内でマスターに謝ると、一言で返された。カウンターの中で洗い物の続きにかかると、阪井がじっと視線を向けてきた。

「なあ。あいつ、よく来るのか」

半端な間を置いて、そんな声がかかる。一拍考えて、直人は当たり前の答えを返した。

「そうですね。もともと、ここの常連さんですから」

「ふうん」と返す阪井の表情はわかりやすく不快そうだ。まだ何か言うかと身構えた直人をよそに音を立てて本を閉じると、カップの中身を飲み干す。わざとのような音を立てて席を立ち、レジで精算をすませて出ていった。時刻は閉店十五分前だ。

何事もなかったことにほっとした。客がいなくなったのを幸いにマスターに詫びとお礼を言うと、軽い頷きを返された。

「ひとつ、訂正しておきたいんだがね。清水事務所の周防くんは、うちの常連とは違うよ」

思いがけない言葉に、カップを片づける手が止まった。奇妙な思いで、直人はカウンターの中にいるマスターに目を向ける。

「でも、周防さん、週に二回とか三回とか来られてますよ……ね?」

その頻度では、常連とは呼べないんだろうか。ちらりと頭をよぎった考えを読んだように、マスターは肩を竦める。

「言い方が悪かったな。彼が常連になったのは、譲原くんがバイトに来るようになってからだよ。その前は、清水事務所と契約した時に一度来たことがあっただけでね」

「ええと、……でも」

「これは私見だが、彼はあまりコーヒーが好きでもなさそうだ。……最近は、多少認識が変わってきたように見受けられるが」

「じゃあ、——だけど、何で」

問いが、うまく言葉にならなかった。そんな直人をいつもと同じ愛想のない顔で眺めて、マスターは目許を和らげる。

「さあね。気になるんだったら、自分で周防くんに訊いてみるといい」


予想通りと言うべきか、バイトを終えてマスターより先に店を出た時、目の前の駐車場にはまだ阪井の車があった。

「ナオ。疲れただろ？　乗れよ、送っていってやるからさ」

するすると下りた運転席の窓越しに声をかけられて、直人はふいと背を向けた。相手にならないつもりで自転車の鍵を外しながら、一応忠告だけしておくことにする。

「遠慮する。それより車、邪魔だから早く出せよ。もうここ、閉店したんで」

「ナオが相手してくれるなら動いてもいいな。なあ、五分だけでいいからつきあわないか？　ちょっとでいいからこっち来いって。ナーオ！」

「ばっ……やめろよ、近所迷惑じゃん！」

泡を食って、車の傍に戻った。嬉しそうな阪井の顔を目にして、そういえばこの男には子どもっぽいところがあったんだと——そういうところも結構好きだったんだと思い出す。

「そうだ。忘れそうだから言っとくよ。前に別れるちょっと前に、オレ、おまえのこと叩《たた》いたよな。あれ、大丈夫だった……んだよな?」

「……何それ。今になって言うことじゃないと思うけど」

運転席のドアを挟んだ形で、直人は運転席に座った阪井をうんざりと見下ろす。

叩かれたのは後にも先にもあれ一度きりだし、何しろもう二か月近く前の話だ。正直、直人自身も今の今まできれいに忘れていた。

「さっき、うちのマンションの隣の奴がいたろ。あいつに言われたんだよ。恋人に手を上げたりすんのは最悪だって」

「……あんた、隣の人とは挨拶だけのつきあいだって言ってなかったっけ」

「だよ。それがこの間、出くわすなりいきなりだ。何のことだかと思ってたけど、さっき、おまえとあいつが並んでるの見て思い出した」

開いた窓の桟《さん》に肘をかけていた阪井の顔が、ふと変化する。一拍の間を置いて言った。

「今さらだけど、悪かった。あの時、オレ苛々《いらいら》してたし、はずみっていうか気がついたら手が出てただけで、そうひどくしたつもりはなかったんだ」

「――もう、終わったことだからいいけど。相手が女の子だとかなりのダメージになるから、やめた方がいいと思うよ。それよりこの間っていつ。最近?」

言い訳じみた謝罪を受け流して訊き返すと、阪井は不思議そうな顔になった。

「五日前、だったかな。遅番で日付が変わって帰った時に、エントランスで出くわしたんだ」

「五日前……」

直人が周防と言い合いをしたのが一週間前だ。そのあとで、周防は阪井に声をかけたのか。気づいた瞬間に、胸の奥でぐらついていた何かが、すっと定まったような感覚があった。

落ち着いて、直人はまっすぐに阪井を見る。自分でも驚くほど、穏やかな声が出た。

「じゃあ、ちゃんと話そうか。阪井さん、これから時間ある？」

「もちろん！　いいよ、乗れよ。どうする、うちに来るか？　それともナオん家《ち》にする？」

「どっちもなし。おれは自転車だから、駅前まで別行動。東口、わかるよね？」

二十四時間営業のファストフード店を指定すると、喜色満面だった阪井は微妙に怪訝そうな顔になった。それに気づかないフリで、直人はさくさくと自分のペースで話を進める。

「おれもすぐ行くから、先についた方が席を取っておくってことでよろしく」

あっさり言って、引き出した自転車に跨がった。阪井の車が動き出すのを確かめてから、直人はペダルを踏む。街灯が照らす通りを駅前に向かいながら、先ほどの別れ際に頬に触れていった周防の指を思い出した。

（落ち着け。――話は必ず聞くから、今は店に戻れ）

直人のいきなりの行動に驚いた様子はあったけれど、周防の目許の表情も声も、以前と少しも変わっていなかった。思うと同時に、先ほどの阪井の台詞が脳裏によみがえった。

（恋人に手を上げたりすんのは最悪だって）

直人が阪井とよりを戻したと思ったから、わざわざ阪井に忠告してくれたのだ。それが思い上がりではない証拠は、昨日、資料室にいる時に竹本から聞いた。

（どっかに傷を作ってたら、時間関係なしで即連絡してくれってさ）

何で傷なのか、あの時にはわからなかった。――つまり、阪井が直人に手を挙げていないかを、気にかけてくれていたのだ。

（ナオのことをよく見てないと、出てこない台詞だと思うよ）

昨夜のイクヤの言葉を思い出して、もう十分じゃないかと泣きたいような気持ちで思った。せっかくの忠告の意味も理解できず、避けるような真似をした。直人がそうやって後ろを向いている間にも、周防は変わらず直人を気にかけていてくれたのだ。

大学の後輩で、弟分。ただそれだけの相手にそこまでできるのが周防だ。ぶっきらぼうで、わざわざ言わないことも多いのだろうけれど――それでも、きちんと見てくれている。

（ナオが本気でぶつかっていったら、答えがどうでも本気で返してくれるんじゃないかな）

イクヤの言うことは、きっと正しい。引き替え、自分はどうだろうと直人は思う。

周防のことが、とても好きだ。けれど、あの人を「好き」と胸を張って言えるほど、自分はいろんなことに本気でぶつかってきただろうか。自分勝手に逃げてはいなかったか？

（ナオはさ、今でもどうせ長続きしないと思ってるんだ？）

イクヤの指摘を深く考えたくなかったから、わざと厭な方向に話を逸らした。それと同じように、図星だったからこそリョウの言葉を痛いと思った。

（ナオもさあ、割と煮え切らないっていうか、何でも丸く収めたがるところがあるだろ？ そういうところが相手にナメられるっていうか、図に乗られるんじゃん）

――阪井が直人を追いかけてくるのは、好きだからというより扱いやすくて面倒がないからだ。それが正しかったとして、だったら直人はどうなのか。

その時が楽しければよかったから、ゴタついた時点で「じゃあ別れればいいや」としか思わなかった。もう一度話してみるとか、やり直す余地を考えようともせずに、使い捨てのカイロみたいに「終わったから片づけるもの」と決めてしまっていた。

直人の阪井への「好き」は、結局のところ、そのくらいお手軽なものでしかなかったのだ。類は友を呼ぶという。今の阪井の思惑が、直人には透けて見えるようにわかる。それは、直人の中に阪井に通じる考えがあるからだ。だったらきっと、直人の考えも阪井に――これまでつきあってきた相手に伝わっていた。

男女だろうが男同士だろうが、みんながみんな「いつか終わる」恋愛をしているわけじゃない。直人の両親は別れてしまったけれど、世間には最期まで添い遂げる夫婦は多いし、同類の恋人同士の中にも十年単位でつきあいを続けている人たちがいる。そんなことはずっと前から知っていた。

（意地でも続ける。絶対に、終わらせない）

その人たちと直人との決定的な違いは、イクヤの言葉そのものだ。彼らが努力して続けようとしているものを、そうやっても時には守りきれないほど脆《もろ》いものを、直人は最初から「どうせ続かないもの」としか扱ってこなかった――。

辿《たど》りついた駅前のファストフード店では、阪井がテーブルについて待っていた。飲み物を買いにカウンターに向かおうとすると、「コーヒーなら買ったぞ」と言われる。見れば、テーブルの上にはホットコーヒーと炭酸飲料水のカップが、それぞれひとつずつ並んでいた。

直人がコーヒーを好むのを、覚えていたのだ。気づいて、連鎖的に思い出す。

阪井の部屋の冷蔵庫には、直人のためのアイスコーヒーが買い置きしてあった。暑い盛りに自転車で汗をかいて訪ねると、アイスクリームを出してくれた。

悪いことばかりではなかったのだ。だからこそ半年もの間、続けることができた――。

腰を下ろしてコーヒーの礼を言って、直人は改めて阪井を見つめる。

「……あのさ。本当に悪いけど、おれ、阪井さんとはもう無理だから」

「おい。待てよ、おまえ自分から誘っといていきなり――」

「前にも言ったけど、ほかに好きな人ができた。ずっと片思いのままだと思うけど、簡単には諦められないから」

言ったとたんに、阪井は困惑した顔になった。その視線を受け止めながら、こんなふうに真っ向から阪井に本音を告げたのは初めてだと思う。

「……だから待てって。オレだっておまえが好きだし、今度こそ大事にするぞ？」

「でも阪井さん、自分は長男だからいずれ結婚するって言ってたよね。そういう気持ちがあるから、絵美《えみ》ちゃんともつきあったんだよね？」

まっすぐに切り込むと、とたんに阪井は弱った顔になった。手持ち無沙汰《ぶさた》そうにカップに刺さったストローを嚙んで言う。

「そ、りゃあ……仕方ないだろ？　親兄弟のこともあるし世間体ってもんがあって、ずっと独りってわけにはいかないんだよ。そのくらい、ナオだってわかるだろう」

「わかるよ。男同士で結婚はできないし、親兄弟とか友達に会わせるわけにもいかない。だったらどこかで割り切らなきゃならない、ってことだよね」

「だろ？　それなら――」

意気込んで言う阪井を真っ向から見返しながら、結局のところお互いさまだったんだと直人は思う。

「だけど、おれは諦めるのはやめにしたんだ。阪井さんがそっちを選ぶのは自由だけど、おれはできるだけ長く好きな人と一緒にいるための努力をしたい」

とたんに、阪井は聞き分けのない子どもを見るような呆れ顔になった。

「甘いよ。そんなの無理に決まってる。ナオがそう思っても、相手には相手の都合があるだろ。片思いだったらとっとと諦めろよ。それで、オレとやり直せばいいじゃないか」

「無理。この際だからはっきり言うけど、おれが初めて本気で好きになった人だから」

考える前に、即答していた。わずかに身を退いた阪井の、呆気に取られたような顔を目に入れながら、直人は続ける。

「その人にフラレても、嫌われて呆れられても、やっぱり好きだと思う。だから、阪井さんとやり直すのは無理。何を言われても困るんで、もうやめてくれないかな」

「………」

「その人に迷惑かけたくないし、そうする理由もないから阪井さんにも会わせない。阪井さんだって、今になって絵美ちゃんにおれとのこと知られたくないだろ？」

言ったとたん、阪井がぎょっとしたふうに顔を強《こわ》ばらせるのがわかった。

「な、んだよ、それ。絵美とはもう別れたって」

「絵美ちゃん、まだ『エル』でバイトしてるよね。おれ、彼女の連絡先も知ってるよ」

「脅す気かよ」

「先に言い出したの、阪井さんじゃん。阪井さんがやらないならおれもやらないよ。絵美ちゃん、おれの大学も学部も知ってんだよ？　ダメージがあるのはおれも一緒だしさ」

わざと笑顔で言うと、阪井は知らない相手を見ているような顔をした。

「おれからは、それだけ。阪井さんは、何か言いたいことある？」

「――――」

黙って直人を見返す阪井は、しきりに瞬きをしている。かっきり二分ほど返事を待ってから、直人は席を立った。

「おれ、帰るね。もう会うこともないと思うけど、阪井さんも元気で頑張って」

ひらりと手を振ったきり、振り返らず店を出た。引き出した自転車に乗って、街灯の下を風を切ってアパートへ向かう。

自室に入ってすぐに、直人は携帯電話を開いた。メール画面を表示し文面を打ち込んだあと、何度か見直してから送信先アドレスに周防を指定する。

迷いはなかったけれど、思い切りは必要だった。ぐっと気合いを入れた勢いで、直人は送信ボタンを押した。

17

周防からの返信は、その夜のうちに届いた。「了解。こっちは事前ミーティングがあるから三時過ぎに迎えに行く」という、ごく短いものだった。

そのメールを保護設定にして、直人は水曜日の午後を迎えた。

事前に言われていた軍手等を準備し、しっかり着込んだ腰に携帯電話入りのホルダーを下げてアパートの前で待っていると、約束通り三時過ぎにオートバイがやってくる。

「お疲れさまです。えーと、お手数かけてすみません。わざわざありがとうございます」

改まった気分でぺこりと頭を下げる。その後頭部を、グローブを嵌めた手でわしゃわしゃと撫《な》でられた。ええぇ、と思って顔を上げるなり、まともに目が合ってしまう。

「……どういたしまして。早く乗れ。行くぞ」

「う、はい。よろしくですっ」

かあっと顔が赤くなったのがわかって、差し出されたヘルメットを急いで被った。周防の後ろに乗って腰にしがみつくと、いつもの合図と同時に走り出す。

オートバイの後ろに乗る感覚がひどく懐かしかった。しがみついた腕から伝わってくる周防の体温を染《し》み込むように感じて、直人は本当にこの人が好きだと思う。

(いっそのこと、その人に告白してみたらどうかな)

ふっと耳の奥ではじけたイクヤの台詞に、それもいいかもしれないとすとんと思った。

諦めたくはないけれど——簡単に諦められるとは思えないけれど、この気持ちはどこかで整理しなければならない。でないと、きっと周防の傍にいるのが苦しくなる。

自分の気持ちを素直に伝えて、聞いてもらったお礼を言って、これでもう諦めますと告げたらきっと、周防なら邪険にはしない。引かれるかもしれないし、それとなく距離を置かれるかもしれないけれど、直人がちゃんと吹っ切れたら——これまで通り弟分でいるよう心がけたら、きっと何とかなる。

何としてでも、どうにかしてでも。何とかする、覚悟ならできる……。

よし、と自分に気合いを入れた時、身体にかかっていた風圧が変わった。見れば、いつのまにか周囲は見覚えのある町並みに変わっている。停まったオートバイを降りたあとで、そこが前回に直人が時間を潰したファストフード店の前だと知った。

「俺は先に行くが、遅刻するなよ。——それとおまえ、今日、バイトのあとは空いてるか」

「あ、うん。何もない、けど」

「話がある。送りがてら、少しつきあってくれ」

え、と思わず目を瞠っていた。考える前に、直人は言う。

「けど周防さん、いいんだ？　その、今日で個展は終わりだよね。打ち上げとか、あったりするんじゃない？　あと、仕事とかも」

ストレートに「市川とデート」と言うのはさすがにきつくて、半端にぼかした言い方になる。それでも何とか通じたらしく、周防はさらりと言う。

「おまえが気にすることじゃない。解散のあとは一階ロビーで待ってろ。こっちはオーナーとの最終ミーティングがあるが、すぐ終わるはずだ」

「一階？　三階じゃなくて？」

「三階はうちが終わり次第、明日からの展示の準備が入る。居場所はないと思っておけ」

戸惑いながら、素直に頷いた。その様子をじっと眺めて、周防は目許を和らげる。その変化に、胸の奥がどきりと動いた。

「おまえの話も、その時に聞こう。――言い忘れがないように、メモ書きでもしておけよ」

「りょーかいです。……あの、ありがとう。助かりました」

頷いて、ギャラリーへ向かう周防を見送った。ファストフード店のカウンターで飲み物だけ買って二階席に上がると、通りに面した窓際の席から「よ」と声がかかる。

「え、竹本さん……？　どうしたんですか、まだ時間早いんですけど」

「知り合いに便乗してきたら時間余ったんで休憩中」

そう言う竹本は、ここに来てしばらく経つらしい。セットで頼んだらしいハンバーガーは包装紙だけになり、ポテトも数本残っているだけだ。

「ここから見てた。周防サンと、うまく元に戻れたわけだ？」

「あー……そ、ですね。戻る、つもりで頑張ってみます」

「そっか。そりゃ上等」

これでは答えにならないかと思ったのに、竹本の返事は満足げだ。ポテトを一本咥《くわ》えて口をもぐもぐさせながら、突っ立ったままの直人に座るよう手振りで促《うなが》してくる。

この人も気にかけてくれたのだと思って、腰を下ろす前に頭を下げた。

「いろいろ、すみませんでした。ご迷惑おかけしました」

「別に。オレは譲原がけろけろ笑ってりゃそれでいいし」

「けろけろって、蛙《かえる》のことですか？」

「違う。おまえは豆柴《まめしば》の子犬。こないだまでは一時的にハムスターだったけど」

即答の意味が、よくわからなかった。カップのコーヒーを啜ってしばらく考えてみたあとで、直人は一応訊いてみることにする。

「……食い意地が張ってるってことでＯＫなんでしょうか？」

「はずれ。回し車、好きだろ」

意味不明なばかりだが、説明はそれで終わりらしい。首を傾げた直人を面白そうに眺めた竹本は、揃ってギャラリーに移動する頃になっても、何も言ってはくれなかった。


一階ロビーのすみに、捨て忘れたらしいゴミ袋がぽつんと置かれているのに気がついたのは、個展会場の撤収作業が終わり解散になって十分ほど過ぎた頃だった。

仕事を終えて解散になった後、直人は迎えが来ることになっているという竹本と一緒に一階ロビーに移動し、先に帰っていくのを見送った。そのあとは、周防が来るのをここで待っている。一階にいるのは搬入作業に立ち動いているスタッフと長椅子に座った直人、それに警備室の窓口にいる警備スタッフだけだ。

二十二時になった段階で、明日からの催しの設営が始まっている。搬入口から荷物が運び入れられ、エレベーターはひっきりなしに上下していた。開けっ放しの扉から入ってくる空気は冷たく、上着を着込んでいても震えがきた。

見つけたものを放っておくのもどうかと思えて、直人は腰を上げる。警備室の窓口にいたスタッフに一言断って、ゴミ袋を手に搬入口の外に出た。

敷地内の明かりは、すでに最小限に落とされていた。その中を、十日前と今日に何度も行き来したゴミ置き場へと向かった。

星見に行くたび思うことだが、人工の明るい光の存在は、かえって身近な闇を深くする。そして、直人はその種類の闇は少し苦手だ。ゴミ置き場に袋を放り込んだあとは、そそくさと引き返すことにした。

その途中で、人声を聞いた。足を止めて周囲を見回すと、敷地内ぎりぎりの街灯の光が届く場所で、大小ふたつの人影が寄り添うように何やら話し込んでいた。

ふだんの直人なら、そのまま行き過ぎていたはずの場面だ。それができなかったのは、明かりに照らされた小さい方の人影が市川だとわかったからだ。

――もしかしたら、周防を待っているのだろうか。

個展最終日の今日、彼女は撤収が終わるまで現場にいたのだ。具体的な作業には手を出さなかった代わり、途中でわざわざ差し入れをしてくれた。作業が終わって現場が解散になると、早々に彼女は帰途についたはずだった。

一緒にいる相手は男性らしく、シルエットの背が高くて声も低い。おそらく、撤収中にずっと市川に付き添っていた人だ。前回の会場設営の時にも見た覚えがあるから、仕事上つきあいのある業者か何かなのだろう。

市川が周防を待っているなら、やはり譲るべきだろうか。

個展最終日だったからか、今日の市川にはどこか疲れた印象があった。それでもきれいで繊細そうで、しっかりと芯がある。目にした作品そのもののイメージだ。

やっぱりお似合いだと、自嘲するのではなく素直に思った。きちんとした大人同士として、周防と釣り合いが取れている。面倒や迷惑をかけるばかりの、子どもとは違う……。

頭を振って建物に戻ろうとした、その時だ。視界のすみで、ふたつの人影がひとつになった。ぎょっとして振り返って、直人は文字通り自分の目を疑った。

市川が、一緒にいた相手――男と抱き合っていたのだ。しかも、彼女の方からしがみつくように相手の背中に腕を回している。

何で、と思った時は、もう足が出ていた。ざかざかと駆け寄る足音に、抱き合っていたふたりがこちらを見て驚いた顔になる。それへ、叩きつけるように言い放っていた。

「な、にやってんですか！　あなたには周防さんがいるでしょう⁉」

え、と彼女が目を見開く。よほど驚いたのか、相手――彼女より明らかに年上の男の袖に縋《すが》ったまま、きょとんとしたふうに言う。

「……譲原さん、ですよね？　あの……」

その声を聞いたあとで、自分が何を口走ったのかに気がついた。

余計な真似をと、全身から血の気《け》が引いた。

ずっと年上の男女の、大人同士の関係だ。部外者で他人の、おまけに子どもがとやかく言う筋合いはない。それに——何より、これでは周防に恥をかかせたことにならないか。

「……っ、すみません間違えました！　忘れてください、本当にごめんなさいっ」

数歩下がって頭を下げた。土下座の勢いで謝ってもいたたまれずに、直人は彼女たちに背を向ける。ばたばたと駆け出した。

18

我ながら、つくづく進歩がない。

生け垣沿いに延びるガードレールに腰を下ろして、直人は長くて重いため息をついた。

見渡した周囲は、当然ながらすっかり夜だ。目の前の広い車道は幹線道路だったらしく、等間隔に灯った街灯が広く作られた歩道を照らしている。生け垣の向こうには公共施設だか公園があるらしく、暗い上に人声もない。

結局、ギャラリーから飛びだしてしまったのだ。ろくな土地勘もなく地図も持たず、しかも夜なのだから当然のことに、気がついた時には自分がどこにいるのかもわからなくなってしまっていた。

コンビニエンスストアを見つけて現在位置を確認して、道順を訊いてギャラリーまで戻る。それ以外に選択肢はないけれど、即行動するには気力と根性が足りない。それで直人は寒さに震えながら、ガードレールに懐いてうだうだしている。

ふう、ともう一度息を吐いた時、電子音が鳴った。

予期していたのに、本当に来ると飛び上がりそうになった。

携帯電話の液晶画面には、「周防先輩」の文字が浮かんでいる。ギャラリーを飛びだして以降、これが通算四回目の着信だった。

「うー……」

いつまでも逃げ回っているわけにはいかないのだ。やっとのことで観念して通話ボタンを押すと、直人はそろそろと携帯電話を耳に当てる。

「えっと……すみません、その」

『――今、どこにいる？』

通話の向こうから聞こえた声の、いつになく低い響きに本気で心臓が縮んで、反射的に通話を切ってしまう。待ち受け画面に戻った携帯電話を眺めて二度ぎょっとして耳に当て、盛大に後悔する。同時に、うっすらと予感を覚えた。

おそらく、周防は直人が市川にやらかした振る舞いを知っている。きっと呆れているに違いないと思うと、今度こそため息が漏れた。

先ほど目にした市川のあの光景が、気にならないと言えば嘘になる。けれど、他人の恋路に首を突っ込むものじゃない。

直人は、無関係の部外者なのだ。

悄然《しょうぜん》と反省しながら、ふと気がついた。——市川が周防を待っていたのなら、先ほどの電話は直人との約束への断りだった可能性が高いのだ。

少し考えて、やっぱり今日はやめようとメールすることにした。落胆しながらちまちまと文面を打ち込んでいると、いきなり画面がメール受信画面に切り替わる。

差出人は周防だった。おそるおそる開いてみると、とにかく居場所を教えるようにとある。

「あー……そっか」

考えてみれば、この状況でメールで断るのは無礼だ。観念して、直人は着信履歴から周防に折り返し電話を入れる。待ちかまえていたらしく、コール音半分で通話は繋がった。

「すみません。あの」

『近くに何がある？　番地表示は見あたらないか。よく見てみろ』

口にしかけた謝罪を断ち切る形で問われて、直人は急いで周囲を見回す。目に入った駅名と番地表示を読み上げると、「そこにいろ。一歩も動くな」の一言で通話は切れてしまった。

やっぱり怒ってるなあ、と当たり前のことを思った。同時に、これはもう全部話してしまおうと覚悟を決める。

ほかでもない周防が、そうしろと言ったのだ。どうせなら派手に玉砕した方が諦めもつくに違いない。破れかぶれに思い、——周防が来るのが楽しみなのと同じくらい怖くなった。

「怖いのか、おれ。……そっか」

ぽつんと口にして、気がついた。

考えてみたら、これまでつきあってきた誰にも、「怖い」という感覚は持たなかったのだ。自分の気持ちを知られるのが怖い、本当のことを話すのが怖い、——周防が直人をどう思っているか、知らされるのが怖い。

それは、阪井やそれ以前につきあってきた相手の時みたいに、「いつ終わってもいい」とは思えないからだ。どんな形でもいいから、周防とのつながりを続けたかった。

意識しないまま、その場に蹲《うずくま》っていた。膝を抱える形で自分を抱き込むようにして、直人は夜空を見上げてみる。

町中の夜は、星を見るには眩しいほど明るい。街灯の光や高い建物の窓明かりやそこかしこに灯るネオンサインが視界を遮って、濁った絵の具で塗りつぶしたようにしか見えない。

星が見たいなと、何の脈絡もなく思った。

小学生の頃、父親に連れられて親子三人で星見に行ったのを思い出す。

当時の直人は星を見るよりもキカイへの興味が強くて、天体望遠鏡に触らせてもらう方が楽しみだった。母親はたぶんつきあいだったのだろうけれど、それでも父親がセッティングした望遠鏡を覗き込んでは歓声を上げていた。その頃はまだ両親はふつうに仲がよくて、直人もそれを当たり前だと思っていた。

……どうしてあの時に本心を言わなかったんだろうと、そんな思いが胸に落ちた。

両親と一緒に寮に向かいながら、これだけは伝えようと決めていた言葉が直人にはあった。本当は、もう一度家族としてやり直すことを考えてほしかったんだ、と。

やっぱり別れないでくれと言いたかったわけではなく、両親を責めようと思ったわけでもない。ただ、直人の本音を知っていてほしかった。安易に言ってはいけない言葉だからこそ、正式な離婚を見届けてから言うつもりだったのだ。

それなのに、届けを出したあとの両親の表情があまりに晴れやかだったから――何年ぶりかに穏やかで優しい空気を感じたから、つい言葉を飲み込んでしまったのだ。以来、直人はまるで癖になったみたいに、本当に伝えたいはずのことを言い損ねてしまうようになった。

初恋の元同級生に、それでも自分は彼が好きだと伝えられなかった。あるいはそれは言えなかったのではなく、「言っても仕方がない」と、どこかで決めてしまっていたのかもしれない。彼の言うことは確かに正論で、おまけに彼の気持ちはもう直人の上にはなくて――その上で告白するのはあまりにも惨《みじ》めで、だから諦めてしまう方が楽だった。

どうせ、長く続かないから。いつか終わってしまうことだから……。

仰《の》け反《ぞ》るようにして空を見上げていると、その視界をよく知った大柄な人が遮った。

上を見たまま、固まったように動けなくなった。そのくせ、周防の顔を見るなり胸の奥が暖かくなる。ぶつかった視線を逸らせず、必死で言葉を探して声を絞った。

「え、と……すみません。何か、いろいろと」

返事の代わりのように、大きな手がぽんと額にのった。そこに「いる」のを確かめるように二度三度と撫でられて、急に泣きたくなった。

「おまえなあ……どこで何をやってるんだ、いったい」

落ちてきた声音に怒った響きはなかったが、ため息混じりだから呆れられているのは確実だ。言葉が出ずにただ見上げていると、伸びてきた手に肘を摑まれる。「ほら」という声とともに軽く引き起こされ、ジーンズや上着の裾についた埃を払われた。

子ども扱いだと思ったけれど、腹は立たなかった。黙ってされるままでいると、ふいに耳覚えのある電子音がする。周防の視線で自分だと気づいて、直人はベルトに下げたホルダーから携帯電話を引っ張り出した。フラップを開くなり、「あれ」と声を上げてしまう。

液晶ディスプレイに浮かぶように表示されていたのは、「阪井さん」の文字だったのだ。

月曜日に話して以降、阪井からはメールも電話も途切れていたはずだ。何で、と思っていると、いきなり手許に影が差した。

「……約束でもしていたのか？」

また誤解されると思った時には、直人は傍らにいた周防の腕を摑んでいた。

「してないよ！　それ、違うからっ」

「うん？」

「違うんだ。阪井さんにはちゃんと言って断ったし、間違いだからっ。絶対、違うから！」

きちんと説明しようと思ったのに、言いたいことが言葉になってくれない。自分に焦《じ》れて必死で首を振っていると、ぽんと頭を押さえられた。

「落ち着け。慌てなくていい」

「で、も」

「時間は十分ある。俺も話したいことがあるし、おまえの話も聞く。――ひとまず、その電話には出なくていいんだな？」

問いに、ぶんぶんと上下に頷いた。この際だから電源ごと切ってしまおうかと思った時、目の前にグローブを嵌めた手が差し出される。

迷ったのは、ほんの一瞬だった。鳴り続ける携帯電話を周防に預けると、短く「切るぞ」と声が落ちてくる。迷わず頷くと、すぐに電子音は止《や》んだ。折り畳んで差し出された携帯電話の電源が落ちているのを知った上で、直人はそれを腰のホルダーに押し込む。

「ひとまず移動するか。ここだと話にならないしな」

促されてついて行くと、路肩に寄せて停めてあったオートバイの前でぽんとヘルメットを渡される。素直にそれを被って後ろのシートに跨がり、前にいる周防の腰にしがみつくと、すぐにオートバイは走り出した。

そういえば、市川が周防を待っていたのではなかっただろうか。最初の信号待ちの間にちらりと思い出したけれど、自分からそれを切り出す気にはなれなかった。今だけだからと言い訳をして、直人は周防にしがみつく腕に力を込める。

19

夜の町並みは、どこもよく似ている。それでなくとも土地勘のない場所ではなおさらで、目を凝らしてみてもどこを走っているかわからない。町中の喧噪《けんそう》が周囲から消え、家々の明かりもずいぶんまばらになってきた頃に、やっと「帰り道とは違う」と気がついた。

じきに道は明らかな登り勾配《こうばい》になって、左右は鬱蒼《うっそう》とした樹木に変わる。たまに路肩の向こう側に建物らしき影があるものの、街灯以外の明かりは見えない。後続車も対向車もなく、周囲にはオートバイのエンジン音が響くだけだ。

背中を叩いてどこに行くのか訊いてみようかと思ったけれど、何となくやめておいた。通り過ぎる樹木の影を数えているうちに、ふっとオートバイが減速する。緩やかにカーブしたかと思うと、道路を外れた平らなアスファルトの上に乗り上げて停まった。

初めて見る場所だった。おそらくどこかの山の頂上近くに作られた公園なのだろう、見渡すほど広く取られた敷地の周囲は、夜空よりも濃い樹木の影に取り巻かれている。その影から視線を上げた先、深い藍色《あいいろ》の空には、文字通り砂を撒《ま》いたような星が散らばっていた。

「う、わ……！　周防さん、ここっ……」

「驚くのは早いぞ。展望台からだともっとよく見える」

苦笑混じりの声とともに周防の腰に巻き付けていた腕を叩かれて、直人は慌ててシートから降りた。ヘルメットを外して見上げた夜空はやたら広いのに、ほとんど人工の明かりがないせいか星がやけに近く見える。

「こんなとこ、あったんだ……すごいいいスポットなのに、何で人がいないんだろ」

「明日が平日だからだろう。土日祝日の前夜は、結構な人数が星を見に来ている」

オートバイの傍で真上を見ていると、声とともにやんわり背中を押された。促されるまま向かった先は小高くなった丘で、そこには木を組んで作られた展望台が見えている。

丘のてっぺんに近づくなり、真っ先に階段を駆け上がっていた。展望台に立って手摺《てす》りを摑むと、星空が今にもこぼれそうなほど近くて、思わず歓声を上げてしまう。

「うわー……」

怖いくらい、空気が澄んでいた。切りつけるような冷たさが、星の光を際立たせている。

あとから上がってきた周防が、無言のままで直人の隣に立つ。手摺りに両肘を乗せ、軽く凭れるようにして夜空に目をやった。

望遠鏡も双眼鏡もなかったけれど、裸眼で十分だと思うほどの空だ。藍色に沈んだ空とそこに散った数多《あまた》の星と、さらに眼下には鮮やかな町明かりが広がっている。

「……あの、さ。周防さん、おれに話があるって、何？」

ひとしきり星空を眺めてから、直人は自分からそう切り出した。――このまま待っているだけでは、どうにも落ち着かなかったからだ。

声に応じるように、周防がこちらに顔を向ける。いつもと変わらないはずの表情を久しぶりに近く目にして、それだけでどきりとした。

「その前に、確認して構わないか？　さっきおまえが言っていた違うっていうのは、阪井とはつきあっていないという意味で間違いないのか」

「つきあってないよ。断った」

「じゃあ、もうひとつ確認だ。だったらおまえ、阪井につきまとわれてるだろう。具体的に、どういう状況になっている？」

え、と直人は瞬く。それへ、周防は淡々と続けた。

「個展準備の二日目に、気になっておまえのアパートまで行ったら、部屋の前で阪井が待ち伏せていた。それに、一昨日は『沙羅』に来ていただろう。あの時は、つきあっているならありだろうと思ったんだが」

「――二日目って……周防さん、も来てくれたんだ……?」

直人が、ひとりでレンタサイクルを返しに行った夜だ。バスと電車を乗り継いでアパートに着いた時には日付が変わっていたから、シャワーも浴びずに寝てしまった。

「あのへんの土地勘がおまえにあるとは思えなかったから、ひとまわり探してみたんだ。あいにく見つからない上に携帯も通じずで、アパートの前で待つしかないと思った」

「えっと……ごめん。おれ、全然気がつかなくて」

「いや。あの時は、こっちが悪かったんだ。おまえひとりに行かせるべきじゃなかった」

素っ気ない口調とは裏腹に、周防の声は優しい。それをじんわりと実感しながら、「こういう人なんだ」と改めて思う。

直人が無事に帰宅するのを見届けただけで帰っていって、それきり何も言わなかった。阪井の件がなければ、きっと直人はずっと知らないままだった――。

「確かに阪井さんにはちょっとつきまとわれたけど、一昨日に決着はついたんだ。他に好きな人がいるから無理って言ったし、軽く脅しといたから、もう何も言ってこないと思う。一昨日別れてからさっきの着信まで、全然音沙汰なかったし」

「……脅した?」

直人の言葉に、周防が軽く眉を寄せる。それへ、にっこりと笑ってみせた。

「あの人、自分が男とつきあってるのを絶対人に知られたくない人なんだ。それで、バイト先の人におれとつきあってたのをバラすぞって言ってみた。もしまた何か言ってきても自分で撃退できるから、大丈夫」

周防の目を見て言うと、それで、まともに伝わったらしい。じっと直人を見ていた周防が、目許を和らげたのがわかった。

「……そうか。それならいい」

「え、と……じゃあ、周防さんの話って阪井さんのことだったんだ？」

「つきあっているなら、注意喚起はしておくべきかと思ったんだ。あの手の男は繰り返すことが多いからな」

さらりと返った言葉の意味を少し考えて、直人は言う。

「それって、阪井さんが前におれを叩いたから？　それで、竹本さんにもおれが傷作ってないかどうか訊いてたんだ？　周防さん、阪井さん本人にも暴力はやめろって言ったよね？」

矢継ぎ早に訊いた直人に、周防は珍しくわかりやすく顔を顰めた。

「……阪井には、おまえの名前は言ってないぞ。竹本の方には、おまえには気づかせるなと念を押しておいたんだが」

「阪井さん、あの時は悪かったって謝ってくれたんだよ。竹本さんは、おれの態度がおかしかったから気にしてくれたんだと思う。何かにおうって、その時に言われたし！」

力説が逆効果だったのか、周防が怪訝な顔になる。それで、手を振って弁解した。

「いやおれ風呂入ってるし、そっちじゃないと思うけど！　ええと、それでおれ、周防さんにお礼言おうと思ってて」

いったん言葉を切って、直人はまっすぐに周防を見上げる。顔だけを向けるのは失礼な気がして、身体ごと向き直った。

「いろいろ、ありがとう、ございました。そんで、……ずっとおれ態度悪くて、すみませんでした。謝ろうと思ってたのに、なかなか言えなくてごめんなさい」

「――……謝らなければならないのは、こちらの方だと思うんだが？」

「え、何で？」

頭上から落ちてきた深い声に、直人は反射的に顔を上げる。夜目にも周防が少し困った顔をしているのを知って、きょとんとした。

「阪井の件でおまえのプライベートに口出しした上に、物言いもきつかっただろう。言い訳にもならないが、あの時は気が立っていたんだ。……清水によく注意されるんだが、俺はどうもきちんと話したつもりで言葉が足りないらしい。実際、おまえを怯《おび》えさせたようだしな」

「それ、違うよ。周防さんはおれのこと気にかけて、心配してくれてたんじゃん。そりゃ、ちょっとは怖かったけど、でもおれも頭の中が飽和しちゃってて、周防さんが言ってくれたことをちゃんと考えられなくなってたから、ただの自業自得っていうか」

「自業自得？」

「……個展準備の一日目に、気がついたことがあったんだ。そんで、おれが勝手に混乱してた。周防さん、知ってるよね？　おれ、女の子相手には恋愛できないタチなんだけど」

ひとつひとつ確かめるように言いながら、勝手に視線が俯いた。まっすぐに顔を見て言う勇気はなくて、それでも直人は必死に声を絞る。

「いろいろ考えて、どうしようか迷ってたんだけど、思い切って言う。さっき、好きな人ができたって言ったよね。それ、周防さんのことなんだ」

最後の言葉を一息に言って、それでもまだ顔を上げられなかった。

何を思ってどんな表情をしているのか、周防からの返事はない。直人の目に入るのは、手摺りの前に立つ長い脚とごつい靴ばかりだ。

数センチ肘を動かしたら届く距離を痛いように意識しながら、直人は慎重に言葉を探す。

「でも、大丈夫だから！　周防さんとつきあいたいとか、そういう意味で意識してほしいとかは全然思ってないし。ただ、諦める前に自分の気持ちだけ、伝えておきたかったんだ。勝手な言い分だと思うけど、黙ったままだと引きずりそうだったから」

「……引きずると困るのか？」

ややあって聞こえた周防の声は低い。表情のない平淡な響きでは、直人の告白をどう思ったのかわからない。

俯いたままで、直人は大きく頷く。

「困るよ。周防さんを困らせたり不愉快な思いはさせたくないし、事務所のバイトもやめたくない。ちゃんと諦めてふつうの後輩に戻ってからでいいから、周防さんと今まで通り遊んだりもしたい。……周防さんが気色悪くて駄目なら、仕方ないけど」

「諦めることに決めたのか。それでいいのか？」

「いいも悪いも、だって駄目なもんは駄目じゃん？　周防さんはこっちの人じゃないし、第一、市川さんて恋人もいるじゃんか。……あのさ、そういえば市川さん、ギャラリーで周防さんを待ってたみたいだったけど、おれとこっちに来てよかったんだ？」

今頃になって言う自分もたいがい卑怯《ひきょう》だ。思いながら顔を上げると、まっすぐこちらを見ていた周防と目が合った。

短く、周防が息を吐くのが聞こえた。

「――どこからそんな話になったのかは知らないが、俺と市川は恋人じゃないぞ。そもそも、市川には他につきあっている相手がいる。今頃は、そいつと食事でもしてるんじゃないのか」

「え、……」

「おまえ、仕事上がりに市川とその彼とのラブシーンを邪魔しただろう。おかげでこっちに苦情が来たぞ。妙な誤解をされているようだからきちんと正しておくように、だそうだ」

周防は、仕方がないと言いたげな呆れ顔をしていた。手摺りの上で腕を組むようにしたまま、直人を見下ろしている。

「だって、市川さんと周防さん、前につきあってたって――」

「正しく過去形だな。それがいつの間に現在形になったんだ。第一、そんな昔の話を誰から聞いた。竹本か？」

「資料室で、二年前の花見で市川さんと写ってる写真、見た。その時に竹本さんが、周防さんの前の恋人だって。別れたくて別れたわけじゃないし、市川さんが個展の準備に周防さんを指名したのも昔からの約束だって聞いた。準備の時もすごくいい雰囲気だったし、一日目には一緒に食事に行ったっていうし。だから、てっきりよりを戻したんだって思っ……」

語尾を邪魔するように指先で頬を摘《つま》まれて、無造作に引っ張られる。痛くはなかったが喋るには支障があって、直人は口を噤《つぐ》んだ。

「前から思ってたが、おまえのここ、餅みたいだな。よく伸びる」

「あー、うん。ガキの頃からよく言われる……？」

語尾に重なるように離れた親指の先で、今の今まで摘まれていた箇所をそっと撫でられる。何げないその動作に、ひどくどきりとした。

「二年前まで市川とつきあっていたのは事実だが、別れて以降はずっと没交渉だ。三か月前に個展の会場設営の依頼をしてきたんだが、向こうの本命は竹本だぞ。俺はそのオマケだ」

「オマケって何。竹本さんが本命って、どういうこと？」

「うちの事務所で展覧会や展示会関連のレイアウトを請け負った場合、基本ラインを作るのは竹本だ。依頼人も最初から、あいつのセンスを見込んで仕事を持ち込んでくる」

周防が言うに、竹本はもともと美術系の学校の出身なのだそうだ。三年ほど前に清水が知人から「個展を開きたいが金銭的に厳しいので格安でレイアウトを頼めないか」と持ちかけられて、物は試しと竹本に仕事を回してみた。結果は好評で、以降たびたびその手の仕事が入ってくるようになった――という経緯らしい。

「でも、責任者は周防さん、だよね？」

「本人が、責任者をやらせるならその手の仕事は絶対にやらないと言い張るからな。表向きにはあいつの名前は出ない上に、その手の仕事は一本化して受けておきたいというのが清水の意向だ。結果的に竹本をそれなりに扱える者が専用窓口をすることになって、俺にそのお鉢が回ってきているだけだ。……事前打ち合わせや会場の下見には俺と竹本で出向いて、現場では竹本は一スタッフとして入る。俺は、あいつが作った計画を滞りなく進むよう指示しているだけだ。もっとも、そろそろ知る者は知る状況になってきてはいるようだが」

「だ、けど、周防さんと市川さんて個展のことで約束してたって……準備中に市川さんが竹本さんと会った時も、ふつーにスタッフ扱いだったし」

「つきあっている当時から市川は切り絵をやっていて、いつか個展を開く時が来たらうちの事務所に頼みたいと言っていた。約束云々は、それが妙な具合に曲解されただけだろう。竹本をスタッフ扱いしたのは、下手に中心人物扱いすると臍《へそ》を曲げるのを知っているからじゃないのか。だいたい、それ以前によく考えてみろ。ふだん人探しメインで動いている俺に、ああいうセンスがあるわけがないだろう」

あっさり言われて、それもそうだと思ってしまった。ぽかんとしたままの直人を眺めて、周防は続ける。

「準備一日目に食事に行ったのは事実だが、向こうの恋人も同席の上で、追加確認のミーティングを兼ねての話だ。初めてのことだから細かく確かめておきたいと言われれば、こっちの都合で断るわけにはいかなかった」

「でも、すごくお似合いだった……よ？　だから、てっきり」

「市川は、来年早々に今の恋人と結婚するらしいぞ。それでどうやってよりを戻すんだ。第一、向こうにとっても俺にとってもとうに終わったことなんだが？」

むしろ呆れたように言われて、直人はへどもどと言葉を探す。

「終わったって、だって……別れたくて別れたんじゃないし、周防さんもめろめろだったって、聞い……」

「外野の言い分だな。当事者としては、互いの気持ちが嚙み合わなくなって、これ以上一緒にいても意味がないから別れただけだ。プラスの感情がない代わり、マイナスもない。依頼人として目の前にいる以上、無用に邪険にするわけにもいかない。それを、いい雰囲気だったと言われても困る」

「困るって、だって」

周防の言葉を聞いたとたんに、全身から力が抜けた。危うくへたり込みそうになって、直人は手摺りにしがみつく。

上目に見ると、周防は涼しい顔で——面白がっているような表情で、手摺りに背を預けて直人を眺めている。それが、少々気に障った。

「何かおれ、馬鹿みたいじゃん。あの時、ものすっごく落ち込んだのにっ」

「どの時だ？」

「個展準備の一日目！　頭の中はぐしゃぐしゃだし阪井さんが来てうるさいこと言うし、周防さんには叱られるし！　すごく怖かったんだからなっ」

周防への気持ちを自覚すると同時に失恋して、そのあとで周防本人から駄目押しを食らった——と認識していたのだ。思い出すだけで、情けない気分になった。

肩で笑った周防が、今度は手摺りに背を預けるように身体の向きを変える。両方の肘まで手摺りに預けて、おもむろに直人を見た。

「お互い様だな。こっちはどうしてあんなに腹が立ったのか、自分でもわからなくて困ったんだ」

「そんな、わけわかんないことであんなに怒ったんだ？」

わざとむくれ顔を作った直人を眺めて、周防はふと黙る。しばらく考えるふうにして、ゆっくりと言った。

「とんでもなく、腹が立ったからな。阪井がおまえに触っていたこともだが、おまえがあいつとよりを戻すのかと思ったら黙っていられなくなった」

「へ、……？　あ、阪井さんが、手が出る人だから？」

「だと、最初は思った。おまけに人が忠告しているのに、おまえは俺には関係ないだの市川がどうのと言い出すしな」

「あ、う……ええと、それは本当にゴメンナサイ……」

思わず謝ったあとで、何だか話がずれていないかと思った。それが伝わったのか、周防は唇の端を歪めて笑う。

「正直、あそこまで苛立ったのは何年か振りだ。理由がわかったのは会場準備の二日目が終わって、アパートの前でおまえの帰りを待っている時だ」

「理由、って」

「おまえ、二日目に俺を避けてただろう。それが、思った以上に堪《こた》えたんだ」

「周防さん？　それ、どういう――？」

もう一度問いを重ねようとして、ふっと何も言えなくなった。ぶつかった視線を外すことができずに、直人は口を噤む。

傍らの周防が身を起こす気配がする。伸びてきた長い指に頬を撫でられ、また摘まれるのかなとぼんやり思う。予想は外れて、頬ごと顎《あご》に指をかけられ、顔を上げさせられた。

何が起きているのかを悟ったのは、ピントが合わない距離に周防の顔を見た時だ。我に返って逃げようとした時にはしっかり顎を摑まれて、背後の手摺りに押しつけられている。

「す、——……」

無意識に呼んだ名前は、最初の一音しか声にならなかった。そのままやんわりと呼吸を奪われて、直人はただ目を見開いている。

唇を塞《ふさ》いだ体温が、確かめるように何度か角度を変える。わずかにも離れることなく位置だけを変えたキスを、手慣れていると頭のすみで思った。ちらりと動いた濡《ぬ》れた体温に唇の合わせを探られ、上唇を齧《かじ》られて、それでも直人は動けなかった。

「こういう理由だ。納得したか?」

聞こえた声は、水の中をくぐらせたように遠く聞こえた。そのくせ、声を発した人はまだ吐息が触れるほど近くにいて、——それが確かに周防だということが信じられなかった。

「……うそだ」

自分が発したはずの声が、他人のものみたいに細く聞こえた。目の前にいる好きな人に取られた顎を擽《くすぐ》られて、直人は小刻みに首を振る。

「何が嘘なんだ」

「だ、って……周防さん、男同士の関係は理解できないって言ってた。そ、れに二年前まで市川さんと――女の人とつきあってたんだよね？　だったらそんなの嘘だ。絶対、ない」

「ナオ。おまえな」

目の前で、周防が眉を顰《ひそ》める。知っていて、それでも止まらなかった。

「だっておれ、周防さんにはみっともないところしか見せてないし！　市川さんみたいにきれいじゃないし大人じゃないし、面倒で迷惑かけるばっかりでっ……」

強い力で上向かされた唇を、最初の時よりも強引に奪われた。触れあった箇所から伝わってくる体温をやけにくっきりと感じ取って、直人は息を呑む。

最初のキスでは歯列の表面を撫でただけだった体温に、今度は上下の隙間《すきま》を抉るように探られる。息苦しさに小さく息を吐くと、狙ったように強い力で歯列を割られた。

「ン、っ……ぁ、っ――」

入り込んだ体温が、歯列の内側をなぞっていく。無意識に逃げていた舌先を追われ、搦《から》め捕《と》られて強く吸われた。

周防とは二度目でも、キスそのものには慣れているはずだ。それなのに、ぞくぞくするものが背すじを伝うように落ちた。頬に当たる手のひらも耳朶《じだ》を撫でる指も心地よくて、拒否するどころか周防の腕に縋るように指をかけて、完全に身を預けてしまっている。

呼吸が自由になったあとで、必死で首を振っていた。唇からこぼれる言葉は「無理」とか「駄目」というものばかりで、それしか言えない自分に絶望した。

「はっきり言わなきゃわからないか？　俺も、おまえが好きだと言ってるんだ」

泣きたくなるほど嬉しい告白が、歯の根が合わなくなるかと思うくらいに恐ろしかった。

「……駄目だよ。そんなん無理だし、やめた方がいい。言ったじゃん、おれ、諦めるし忘れるから、元通り後輩扱いしてもらったらそれでいいって」

至近距離に顔を寄せていた周防が、大きなため息をつく。その反応にぎくりと顔を上げた時、いきなり腰ごと抱き寄せられた。「うわ！」と声を上げた時には、直人はいつか階段落ちした時と同じように周防の肩に担ぎ上げられている。

「え、え、えっ……」

ずんずんと身体が揺れるごとに眼下の景色が移動して、先ほどまでいたはずの展望台が遠ざかっていく。それと気がついて、直人は我に返った。周囲を見回した時には、もう駐車場に停めてあった周防のオートバイの傍に戻ってしまっている。

「え、周防さ――」

呼びかけた声は、無造作に被せられたヘルメットの下で半端になった。瞠目《どうもく》して見上げる直人に気づいているはずなのに、周防は無言のままだ。直人のヘルメットの顎ベルトを留めると、自分もさっさとヘルメットを装着してオートバイに跨がってしまう。エンジンをかけると、身振りで乗るように促してきた。

今度こそ、愛想を尽かされたんだと思った。それでも自分の言葉を撤回できずに、直人はきつく唇を噛む。その手首を取られ、さっきより強い仕草で後ろに乗るよう促された。

伝えたいことはたくさんあるのに、うまく言葉にならなかった。走り出したオートバイのシートの上で、直人は周防の腰に回した腕に力を込めた。

20

こんなに強引な周防は、初めてだった。

オートバイが停まるなり、ヘルメットを被ったままでシートから降ろされた。やっとのことで顎のベルトを外したそれを持ったのとは逆の肘を掴まれて、直人は人気のないエントランスに足を踏み入れる。引っ張られるように歩く頭の中は、「どうしよう」という言葉でいっぱいになっていた。

「周防さん。もう遅いし、おれ、アパートに帰っ……」

「まだ話は終わってない」

周防の答えには、とりつく島もない。取り出した鍵で集合玄関を開くと、戸惑う直人を引っ張って中に連れ込んでしまった。

……オートバイが帰り道を走っていることには、途中で気がついていた。事務所に連れて行かれるか、直人自身のアパートに帰されるかだとばかり思っていたのに、周防がオートバイを乗り入れたのは、直人が以前たびたび通っていた場所——阪井の住まいであり、周防の自宅でもあるマンションの駐車場だったのだ。

開いたエレベーターの奥に押し込まれて、直人は周防の様子を窺う。摑まれた肘が痛かったけれど、それすらうまく言い出せなかった。

上昇していたエレベーターが、ふっと静止する。俯いた視界の中でも扉が開いたのがわかって、肘を引かれるまま廊下に出た。直後、「あれ」と別の声がする。

「あんた、……」

怪訝そうな声の響きにぱっと顔を上げて、直人はぎょっとする。

レンタルビデオ屋の袋を手にした阪井が、目の前にいたのだ。どうやら返却に行くところらしく、上着を羽織った肩を寒そうに丸め、不審そうな顔でこちらを眺めている。

やり過ごすと思っていたのに、周防は急に足を止めた。わざわざ阪井に向き直って言う。

「ちょうどいい。訊きたいことがある。——こいつに電話したようだが、用件は何だ？」

「何、って……」

周防の物言いは思い切りストレートで、露骨に不機嫌だ。それで怯《ひる》んだのか、阪井は見た目にわかるほど及び腰になった。

「ナオのマグカップがうちに残ってんだよ。気に入ってたみたいだし、勝手に捨てるのはどうかと思ったんだ。……けど、何であんたがそんなの訊いてくるわけ」

「——そのマグカップは処分して構わない。本人には俺から話す」

「話すって、ナオはそこにい……」

阪井の反論が、半端に途切れる。見れば、周防は睨むように阪井を見据えていた。

ふいと阪井から視線を逸らしたかと思うと、周防は直人を引きずるようにして歩き出す。よろよろとついて行く途中で、啞然と見ていた阪井ともろに目が合った。

「あ、あの！　違う、からっ」

反射的に、直人はそう叫んでいた。目を剝いた阪井に向かって、もう一度念を押す。

「違うからな！　変に誤解すんなよっ？……」

言いかけた腕を強く押されて、直人は開いたドアの中に押し込まれた。阪井の反応を気にして振り返りかけた頭を押さえられて、真後ろで玄関ドアが閉じる。

最初に目に入ったのは、フローリングの廊下とその先のドアだ。どうやら、阪井の部屋とは間取りが違うらしい。そう思ったあとで、ここが周防の自宅だと思い当たった。

たびたび一緒に遊んだけれど——送ってもらった時に直人の部屋で休憩したことはあったけれど、周防の家に直人が来たのはこれが初めてだ。

軽く肩を押されて、玄関横の壁に押しつけられる。気がついた時には、不機嫌そうな周防の顔が額がぶつかるほど近くにあった。目を合わせられずに首を縮めていると、低く落とした声で訊かれる。

「……今、阪井に言ったことを説明しろ。何が誤解なんだ」

「だ、って！　この時間にあんなとこ見られたし、あの人、おれに他に好きな人いるのも知ってるし！　マンションん中で変な噂流されたりしたら……っ」

「噂になったところで俺は構わないが？」

即答に虚を衝かれてぽかんとしていると、ピントが合わないほど近くで見据えられる。長い指先に、頬を摘まれた。

「同じマンションに住んでいたところで、住人全員と個人的なつきあいがあるわけじゃない。迷惑行為をやらかしたわけじゃなし、外野の言うことにまともにつきあう義理もない。おまえとの関係が知れたところで、誤解ではなく理解の範疇《はんちゅう》だから俺は気にしない」

「り、かいって、きにしないって、だって……」

反駁《はんばく》しかけて黙った顎を、攫るように摑まれる。下唇の際を親指の先で辿られて、たったそれだけのことで肌の表面がぞくりとした。俯きかけた顔を強引に上げさせられて、吐息が触れるほど近く見据えられる。

「おまえが本当に気にしているのは阪井じゃないだろう。前にも言ったはずだが、言いたいことははっきり言え。そこで黙られたら、おまえが何を考えているかわからない」

静かな声で言い換えられて、直人は「そうだった」と思い出す。

もう後悔したくなかったから――同じことを繰り返したくなかったから、思い切って告白したのだ。ここで黙ってしまったら、きっと同じことの繰り返しになる。

やっとのことで視線を上げて、直人は周防を見返す。必死で言葉を探していると、周防はふっと声のトーンを落とした。

「考えすぎず、思いつくことを片っ端から言ってみろ。――俺とは無理で駄目というのはどういう意味だ。もう諦めがついて、気が変わったということか？」

「……っ、ちが――そう、じゃなくてっ、……おれ、周防さんがこっち見てくれるとか、そういうの絶対にないと思って、て」

言葉を探しながら、直人はぐちゃぐちゃに絡まった頭の中を少しずつ整理していく。もつれた結び目をほどいていったら、最後に残った言葉はシンプルだった。

「だって周防さん、おれ男だよ。男と恋愛とか、できる？」

自分のものとは思えない、訥々《とつとつ》とした物言いになった。答えを聞くのが怖くて、直人は再び俯いてしまう。

「おれは周防さんがすごく好きだから、プラトニックとかは無理だよ。好きだから触りたいし、触ってほしいって思う。けど、周防さんにはそういうの、無理じゃないかって」

「……何が、どう無理だと？」

ため息混じりの声とともに、下唇を指先で押さえられる。濡れてもいないそこを拭《ぬぐ》うようにラインに沿って撫でられて、先ほど屋外でされたキスを思い出した。無意識に背骨のあたりを震わせた直人に気づいたのかどうか、今度は別の指で頬を撫でられる。

「キスだけだったら——唇に触るだけなら、男でも女でも似たようなもんじゃん？　けど、その先に行っちゃったら全然違うよ。……そういうのって理屈じゃなくて感覚的なものだから、何とかしようったってなるものじゃないし」

「ナオ」

「こっちの友達から、聞いたことがあるんだ。ずっと女の人としかつきあったことがなかった人を好きになって、諦めかけてた時に両思いになれた。でも、……いざって時にやっぱり無理だって断られたって。好きだけどそういうのは無理だって言われて、気まずくて会えなくなって……今はどこで何してるかわからない、とか」

周防からの告白を、疑うつもりはない。けれど、その好意の種類や方向性が、直人が周防に抱いているものと同じだとは限らない。むしろ、実際には違う可能性が十分にあるのだ。

「その時になってやっぱり間違いだって言われても、おれはたぶん納得できない。周防さんのことを諦められなくなって、無理に追っかけ回して嫌われて愛想尽かされて、きっと弟分でもいられなくなると思う。……そういうのは、厭なんだ。そんなになるくらいなら、今まで通り周防さんの近くで弟分でいた方がいい」

好きだけれど、恋愛感情だけれど、つきあいは友人同士のままでいい。そう言われたところで納得できないほど自分が欲深いことを、直人はよく知っていた。

たった二回キスしただけで、もう周防の腕や体温を覚えてしまって、離れたくないと思っている。本当にこの人が好きだと、泣きたいような気持ちで思い知らされた。

喜んだあとで取り上げられたりしたら、きっと歯止めが利かなくなる。その結果、周防と「これまで通り」のつきあいすらもなくなってしまうかもしれない……。

落ちてきた沈黙は、重かった。壁際に背をつけて突っ立ったままで、直人はひどく近くに周防の体温を感じている。

「――……あいにくだが、まともな覚悟も認識もなしに、年下の、しかも男の告白を受けるほど俺は若くはないぞ」

ため息混じりの声とともに、摘まれたままだった頰をぷにぷにと揉むようにされる。思いがけない言葉に目を見開いていると、さらに近くなった気配にわざとのようにごつんと額同士をぶつけられた。脳天まで響く痛みに涙目になっていると、今度は唇を齧られる。反射的に竦めた首を摑まれ、わざとのように唇のラインをキスでなぞられた。

「正直、自分の気持ちに気づいた時は、青天の霹靂《へきれき》だったんだ。ずっと年下の男相手にそれはない、勘違いしているんだと何度も思い直そうとした。だが、感情がそれではどうしても納得しなかったんだ。……さっきも言ったように、おまえが阪井とキスしているのを見た時に決定打が来た」

「え、何、それ……キスって、そんなの」

「個展準備二日目の朝。アパートの玄関前でやってただろう」

「ちが、……あれはちゃんと逃げたからっ！　厭だったし場所が場所だったし、だから阪井さんの顎ごと押しのけたし！」

言い募る直人と近い距離から見下ろす周防は、いつもとは少し違う顔をしている気がした。わかってほしくて必死で見上げているうち、どことなく窺うふうだった周防の表情がふっと柔らかくなる。長い腕がするりと腰に回って、やんわりと抱き込まれた。抵抗どころか身《み》動《じろ》ぎもできずに、直人は指先に触れた周防のシャツを握り込む。

「とんでもなく腹が立ったと、さっき言っただろう。あとで気がついたんだが、その方向性がな。――おまえに対しては勝手に他の奴に触らせるなと思ったし、阪井に対しては人のものに不用意に近づくなと思った」

「すおう、さ……」

「どう解釈しても、嫉妬の部類だ。そう思ったら、認めるしかなくなった」

声とともに、肩に重みが落ちてくる。どきりとしたあとで、周防が自分の肩に額を乗せてきたのだと知った。

「おまえが駄目で無理だと言い張る理由がそれだけなら、引き下がる気はないぞ。おまえも二十歳なら、自分が言ったことには責任を持て」

「え、だって……っ」

近すぎる声に、背すじだけでなく腰のあたりまでぞくぞくする。反射的に上げた声を遮るように、いきなり顎の付け根を啄《ついば》まれた。びくんと震えた腰をきつく抱き寄せられたかと思うと、肌の上を遡《さかのぼ》ったキスに耳朶を齧られる。

「ちょっ、……周防、さ……待っ――」

「無理だな。諦めろ」

即答は、直接耳に吹き込むように囁《ささや》かれた。跳ねるように揺れた顎を長い指に取られ、背後の壁に押しつけられて、直人は再び呼吸を奪われる。

つい先ほどの、唇に歯を立てるようなものとは違う、深く奥まで探るキスだ。気がついた時には歯列を割った体温を受け入れて、たびたび角度を変えるキスに溺《おぼ》れてしまっている。

歯列の裏を探られ、唇の端に歯を立てられる。舌先を吸われ、強い力で搦め捕られて、そのたびに身体の芯が少しずつ溶け出していく。途中で肩から落ちた重みで、上着が脱げたのだと知った。

長いキスの合間に、背中や腰を撫でられる。あからさまに探られるような感覚を、やけに優しいものに感じた。引き出されたカットソーの裾から冷たい手のひらが忍び込んできて、その感触に直人は我に返る。

「や、……周防、さ――」

キスの合間に発した声には甘えたような響きがあって、勝手に頬が熱くなった。続けるはずだった制止をキスで封じられて、直人は周防の背中を衣類越しに指で掻《か》いている。

恐怖は残っているのに、それでも触れてほしかったのだ。凝らした目でピントが合わない距離にいる周防を見つめて、直人は必死で祈っている。

長く続いたキスに、ふいに膝から力が抜ける。かくんと落ちそうになったのを、腰を抱いていた腕に寸前で掬《すく》われた。次の瞬間には、全身が浮き上がる感覚に襲われている。

「……え、――」

周防の肩に担ぎ上げられたと悟ったのは、開いたドアの奥にあった広いベッドに下ろされたあとだ。腰の下でかすかに聞こえたスプリングの軋《きし》みに、直人は「これから起こること」を意識する。身構える寸前に長い腕に転がされ、真上から見下ろされた。

「正直、もう少し時間をかけようと思っていたんだが……信用してもらうのが先決だな」

「……信用、って……もしかして、これからするとか言う……？」

「論より証拠、と言うだろう」

吐息のような声で言われたかと思うと、そのまま呼吸を奪われた。すぐさま歯列を割ったキスは直人の唇の奥を探って深くなり、舌先と一緒に直人の思考までも搦め捕っていく。

「ん、……や、待っ――……」

長い、キスになった。舌を吸われ、唇を捏《こ》ねるようにいじられるたびに、背すじや腰の辺りが痺《しび》れるようになって、頭の後ろに空白が広がっていく。

顎から落ちた手のひらに、喉の尖《とが》りをやんわりと撫でさすられる。顎の付け根から耳の後ろに這《は》い込んで、指先で耳朶ごと擽られる。触れると冷たく感じる少し低い体温の動きは陶《とう》然《ぜん》となるほど優しくて、直人はいつの間にか周防の首にしがみつくように腕を回し、深いキスに夢中になっていた。

「ん、ぁっ……ふ、――」

搦め捕られた舌先を、水っぽい音が立つような激しさで吸われる。舌の根が小さく痛んで、その拍子に背すじがぞくりと震えた。

キスには、もう慣れているはずだ。最初の恋人以降、つきあってきた相手と数え切れないくらいに交わしてきた。――けれど、こんなふうに思考まで奪われたのは初めてだ。

「周防、さ……っ、ん、――」

キスの合間に名前を呼んだ声が、色を帯びているのがわかる。唇の端を齧ったキスに頬や顎を啄まれ、喉から耳朶を舐《な》められて、肩甲骨のあたりがぞくんとした。顎のラインをなぞっていった唇にこめかみや耳朶を食《は》まれて、そのたび吐息に声が混じっていく。それを気にして必死で声を嚙んでいると、喉から顎を撫でていた指に唇のラインを撫でられた。

ナオ、と呼ぶ声に瞬いたのと、再び唇を塞がれたのがほぼ同時だった。促されるまま深い

キスを受け入れていると、あやすような手に額や頬を撫でられる。肩を撫でられ、腰に回った腕にきつく抱き込まれて、直人は周防の肩に爪を立ててしまう。

長く続くキスにぼうっとしている間に、たくし上げられたカットソーの裾をかいくぐった手のひらに脇腹を撫でられる。さらに上へと肌を辿った指先に胸許のそこだけ色を変えた箇所をまさぐられて、直人はびくんと全身を竦めた。

「ン、……っ、や、そこ、待っ――」

「どうして」

囁く声を、耳ではなく唇で聞いた気がした。同時に長い指に過敏な箇所をいじられて、直人は反射的に周防の腕を摑んでいた。

女性とは違う、真っ平らな胸だ。今にも周防が我に返ってしまいそうで――直人から離れていってしまいそうで、握る指に震えるような力がこもる。

直人の懸念とは裏腹に、周防の手に躊躇う素振りは欠片《かけら》もなかった。指先で押しつぶした箇所を掘り起こすように探られたかと思うと、周囲をぐるりと撫でられる。指の間に挟むように擦《こす》られては引っ張られて、そのたび痺れに似た感覚が肌の底に広がっていった。

「ん、ぅ……あ、っ――」

胸を探る指はそのままに、顎の裏側から喉のあたりに辿るようなキスをされる。思わず仰け反った薄い肌に音を立てて吸いつかれて、痛みに近い悦楽にぞくぞくと腰が揺れた。

周防の吐息が肌を掠《かす》めていくのにすら、肌の表面が痺れるような気がした。同時に、頭のすみでそんな自分をおかしいと思う。

これまでつきあってきた相手との行為では、もっと自分から動けたはずだ。なのに、今の直人は身体中から骨が抜けたみたいになっている……。

喉から落ちて鎖骨を齧ったキスが、さらに下へと這うように動く。ぼうっとしたままもしやと思った時には、今の今まで指先でいじられていた箇所に吸いつかれていた。

「ぁ、……ん、……っ」

胸許の片方をキスに含まれ、もう片方を指先で痛いほどの力でいじられる。そのたび、何かのスイッチを押されたようにそこかしこがびくびくと跳ねた。

じっとしていられず捩《よじ》った腰を、強い力で引き戻される。引きつけるように強く抱かれたかと思うと、胸許から離れた手のひらがするりとジーンズの脚に落ちた。

布越しに、大腿《だいたい》から膝裏の窪《くぼ》みを撫でられる。無意識に息を呑んだ、そのタイミングで動いた手のひらに下肢の間で形を変えていた箇所を探られて、直人は思わず悲鳴を上げた。

「――っ、や、……すおう、さ――、無理、しなくて、い……」

「何が」

胸許から返った声はいつも通り低くて、なのにどこかが甘い。耳許でとはいえほんの三音を囁かれただけなのに、首の後ろがぞくりと粟立《あわだ》った。

「だ、……って、そんな、の、っ――ぁ、っ」

触れなくともわかるほど張りつめた箇所を、布越しにやんわりと摑まれる。反射的に周防の手首を握り直したものの、押し退《の》けるどころか摑んでいるだけで精一杯だった。

周防の手は、少しも躊躇わなかった。布の上から輪郭を確かめるように触れられて、それでなくとも熱を帯びていた箇所がさらに温度を上げていく。

「ん、ぅ……」

油断したらとんでもない声が出そうで、必死で唇を嚙みしめていた。直後、摑んでいた周防の手が大きく動く。

熱に浮かされた頭のすみで、ジーンズの前を引っ張るようにされたのを認識した。間を置かず、布を押し退けた指にその場所をじかに撫でられて、勝手に大きく腰が跳ねる。

探られたそこを摑んだ指がそれぞれに動いて、そのたびに鳥肌が立つような悦楽に襲われた。タイミングを合わせたように胸許の肌に歯を立てられて、肌の底に溜《た》まったぬかるんだような熱が逆巻くように流れ出す。

こぼれる吐息に、甘えた声が混じっていく。それが、自分でもいたたまれなかった。

「や、だっ……待っ――……ん、ぅっ……」

やっとのことで訴えた唇は、顎を齧ったキスに封じられた。息苦しさに背けた顔を追いかけて、歯列を割って深くなる。逃げようとした直人を咎《とが》めるように、舌先に歯を立ててきた。

舌先が絡むキスの、水っぽい音が耳につく。同じように水気を帯びた音が、もっと下の別のところで響いている。粘いようなその音は、直人の脚の合間を探る周防の手の動きと連動していて、見えないところで何をされているかを思い知らせてきた。

「ん、んっ……――」

頭の中が霞《かす》んだように、何も考えられなくなった。意識にあるのはそこかしこに触れてくる体温とキスと手のひらと、時折聞こえる宥《なだ》めるような声ばかりだ。

無意識に逃げる腰をきつく抱かれ、限界を訴えるそこをさらに煽《あお》られる。どうしようもない際まで追いつめられて何度も首を振っていると、その顎を掴まれて呼吸を塞がれた。食らいつくようなキスに容赦なく舌先を齧られ、搦め捕られて頭の中が白く染まった。

自分が声を上げたかどうかも、覚えていない。気がついた時には、直人は目を見開いて輪郭を失った天井を見上げていた。

耳許で、名を呼ぶ声がする。大丈夫かと問われてどうにか頷くと、浅く引きつった息を吐いていた唇をそっと齧られた。そこから頬にすべったキスに眦を啄まれ、ちらりと動いた舌先で残っていた涙を拭われる。鮮明になった視界の中、それが確かに周防だということを確かめるなり、胸の奥が苦しくなった。

考える前に、周防の首にしがみついていた。声にならない言葉でキスをねだると眦にあった唇が瞼《まぶた》を舐め、鼻先から頬を辿っていく。もどかしさに触れた髪を指先に絡めていると、じきに直人の浅い呼吸を塞いで深いところまで探ってきた。

長くて深い、キスになった。舌を食まれる感覚に溺れながら、直人は「どうして」と思う。

二年前まで女性とつきあっていて、ほんの二か月足らず前には男同士の関係は理解できないと断言した人だ。なのに、直人の明らかな「男」の部分に触れる手には奇妙なくらい躊躇いを感じなかった。

横に逸れた思考を咎めるように、先ほどいったん終わったはずの箇所を手のひらでまさぐってくる。耳につく粘着質な音の正体が自分が放ったものだと気づいた時には、腰を抱かれて行き場を失っていた。

「ん、……っ、ゃ、周防、さ――」

制止を叫んだはずの声が、強引なキスに呑まれて意味不明な音の羅列になる。それでなくとも過敏な箇所が、再び張りつめていく。その時になって、ようやく直人は自分がジーンズも下着も取られていたのを知った。

キスを続けたまま、周防の指が腰のさらに奥へと動く。まさかと思う間もなく身体の奥を指先で撫でられて、頭を殴られたような気持ちになった。

「……っ、そこ、――無理っ……!」

「厭なのか？」

耳朶を噛んだキスと前後した低い囁きに、直人は周防の背にしがみつく指に力を込める。

「そ、じゃなく、て――……無理、しなくて、い……っ――！」

「あいにく、無理にこんな真似をするほど酔狂じゃないんだ」

宥めるような声とともに、腰の奥を撫でていた指がぐっと中に押し込まれた。

久しぶりとはいえ、行為そのものには馴染んでいる身体だ。それまでさんざんに焦らされていたこともあって、そこはさほどの抵抗もなく濡れた指を受け入れる。指を濡らしているものの正体など考えるまでもなく、いたたまれなさに頬が熱くなった。

「や、……待っ――ん、……」

「それこそ無理だな。厭なわけじゃないんだろう？」

低い問いに揶揄《やゆ》の響きはなかったのに、どうにもならない場所まで追いつめられた気がした。返事もできずに心許なさに唇を歪めていると、軽く額に額をぶつけられた。

「大丈夫だ。楽にしてろ。――心配しなくていい」

優しい声を吹き込むように、またしても唇を塞がれる。ほぼ同時に身体の奥で指先を蠢《うごめ》かされて、本能的に腰が逃げた。それを長い腕に引き戻されて、さらに深く抉られる。その感触を、ひどくリアルに感じた。

「ん、……ぅ、あっ――」

腰の奥を探る指はそのままに、唇から離れていったキスが、顎を齧って喉に歯を立てる。顎の裏側を執拗《しつよう》に吸われて、そのたび背すじがぞくぞくと震えた。

静かな部屋の中に、湿り気を帯びた音が大きく響いている。その音にすら、煽られるような気がした。うねるように大きくなっていく波に浚《さら》われたように意識まで曖昧になって、直人はぼうっと目を見開いている。

気がついたら、周防の名前を呼んでいた。応じるように喉を啄んでいたキスが離れて、吐息が触れる距離で覗き込まれる。

間近で見た周防は、いつもと同じようでまったく違う顔をしていた。鼻先を擦《す》り寄せるようにしたかと思うと、音を立てて唇を啄まれて、それだけのことにひどく安堵する。

「ほんと、……に、周防さん……？」

自分の声を聞いたあとで、何を言っているのかと思った。ピントが合わない距離にいた周防が苦笑したのがうっすらと見て取れる。

「そろそろ信用しろ。でないと拗ねるぞ」

「そ、――」

口にするはずの言葉を、キスで封じられる。上唇を齧られながら、腰の奥にあった指がゆっくりと退いていく感触にぞくぞくと鳥肌が立った。同じ手に今度は膝を摑まれて、今さらに周防の手の冷たさを認識する。

楽にするようにと、囁く声がする。上になった肩にしがみついたまま、何度も頷くと、宥めるようなキスに耳朶を齧られた。

間を置かず、身体の奥に割り入ってきた体温に無意識に肌が竦む。触れあった場所からそれと気づいたのか、耳許を辿っていたキスが頬から唇に戻って、宥めるように舌先に歯を立ててきた。

優しい手に額や頬を撫でられる。そのくせ、腰を抱いた腕はわずかに逃げることも許してくれない。直人がどうにか力を逃がすのを待っていたように、周防は緩やかに動き出した。

「……っ、ン、ンっ――ぅ、あ……」

直人の頬を撫で、耳朶を摘んでいた手が動いて、今度は肩から背中を辿っていく。脇腹を掠めて直人の腰を抱いたかと思うと、ぐっと深くまで身体の奥へと割り込まれた。押しては引く動きは波に似て、強弱をつけては直人を追いつめていく。

底だと思っていた場所で、さらなる深みに嵌まったような感覚だった。肌の内側で流れを作った悦楽が、そこかしこで逃げ場を失って逆巻いている。その証拠に、周防の指先が触れるだけで、そこから粘くて痺れるような熱が生まれては滲《にじ》んでいく。

「ぁ、……う――ん、……」

「ナオ。声は噛むな」

顎を摑んだ指に強引に歯列を割られたあとで、自分が唇を噛みしめていたことに気がついた。言われるまま力を抜いた唇の奥に長い指を差し込まれ、やんわりと舌先を撫でられて、それだけで肩がびくびくと揺れる。過ぎる悦楽は苦痛に似て、堪えきれず首を振ったとたんに視界が溶けて流れていった。

「や、だ……外、き、こえ……っ――」

「気にしなくていい。窓を閉めていれば声は漏れない」

声を絞った唇を撫でる指は、泣きたくなるほど優しい。それなのに、他でもないその指の持ち主こそが、途切れない波を送っては直人を逃げ場のない場所へと追いつめている。

揺れた肩口を啄んだキスが、耳殻の形を執拗になぞってくる。揺らされるまま声を上げる腰を摑まれて、さらに高い場所へと追い込まれる。必死でしがみついた背中がまだシャツを着ていることに気づいたのに、咎める言葉が声にならない。

「すお、……さ――」

おぼつかない視界を見つめたままで、確かめるように名前を呼んだ。低く耳に吹き込まれた声と、前後に耳朶をなぞったキスに、直人はそのまま意識を持って行かれた。

21

最初に目が覚めた時、室内はまだ薄暗かった。

全身が、他人のものかと思うくらいに重くて怠《だる》かった。ぼうっと天井を見上げているだけで、今にもずぶずぶとマットレスに染み込んでしまいそうで、直人は小さく息を吐く。

何だか天井が高いと思ったあとで、背中や腰に当たるマットレスが馴染んだ硬さとは違うことに気づく。肩までかかった毛布の下では弾力のある素肌が近く寄り添っていて、触れた先から伝わってくる体温が眠気を誘っていた。

違和感を覚えながら枕の上でころりと頭を横向けて、直人は瞬いた。

驚くほど近くに、見覚えのある顔があった。前髪が額に落ちて、瞼を閉じている。寝顔を見たのはこれが初めてだけれど、それが誰なのかはすぐにわかった。

「……、――」

そっと呼んだはずの名前は、声にならなかった。代わりに、直人は唯一動かせる頭を傍らで眠る人に近寄せる。無意識なのかうっすら気がついたのか、背中に回っていた腕にそっと肩の辺りを撫でられて安心し――そのまま、またしても墜落するように眠ってしまっていた。

夢らしい夢は、見なかった。次にふっと目覚めた時にはもう部屋の中は明るくなっていて、傍らにあったはずの体温も消えている。

「……あ、れ……?」

自分のその声を聞いて、ようやく思考のピントが合った。ぎょっとして飛び起きたとたんにぐしゃっと全身が崩れたような感覚があって、直人は再びベッドに沈没する。

全身の重さも、身体の奥に残る違和感もよく知っている。これはつまり要するに、と記憶を辿っていくと、袋の底が破れたように昨夜の記憶が溢れ出した。

——周防と、そういうことになってしまったのだ。直人を宥めるためか丸め込むためか、とにかく周防のやり方は驚くくらいに執拗だった。

（論より証拠、と言うだろう）

耳の奥でよみがえった声に、かあっと全身が熱くなった。

やたら濃くて長い夜だったのだ。初回は指で触れただけで終わったあの箇所に、周防は二度目にはキスをして、唇に含んだり舌先で探ってきたりした。まさかの事態に頭が真っ白になった直人が必死で暴れたのを易々《やすやす》と押さえつけて、過敏になった肌のそこかしこを執拗なくらいにまさぐられた。しまいに直人が泣き出しても、やめてはくれなかった。

周防は、これまで同性とつきあったことがない人のはずだ。なのに、どうして躊躇いなくあんな真似ができるんだろう。

今の今、身体は怠いし重いし、腰の奥は痺れたような感覚がある。けれど、それ以外のダメージは感じないし、何より昨夜は直人の方が夢中になっていた。だからというわけではないけれど、何となく——どうにも、周防は手慣れていたような気がして仕方がない。

ぐるぐると回る思考回路がまずい方向に陥る前に、頭を振って追い払った。周防は十近く年上なんだし大人なんだからと無理に結論づけて、そのあとで室内が静かすぎるくらいにしんとしているのに気がついたのだった。

そろりと起きあがってみると、直人は周防のものらしいやたら大きい寝間着を着せられていた。ベッドが置かれているのは正方形に近い形の部屋の真ん中で、フロアライトの他は作り付けのクローゼットらしい扉が壁に並んでいるばかりだ。

朝どころかもう昼近いらしく、薄いカーテンの向こうは明るい。どうやら大学に行き損ねたらしいと反省しながら、直人はベッドの端に寄る。

今日は木曜日だから、周防は仕事のはずだ。行く前に起こしてくれたらいいのにとため息をついたあとで、帰るまでここで待てということだろうかと思いつく。その時、視界の端にあったドアが開いて、大柄な人影が顔を見せた。

「……え、と。おはよー、ございます……」

「起きていいのか。動けるか？」

いつもの口調で世間話のように言われたのに、ぶわっと顔が火を噴いた。「ああ」と「うう」の合間のような返事をすると、昨夜直人の恋人になったはずの人——周防は少し笑ったような顔で見下ろしてくる。

今日の周防は、キャメル色のカットソーにブラックジーンズというあまり見たことのない格好だ。直人に向ける視線は柔らかいだけでなくわかりやすい甘さを含んでいて、何だかひどく気恥ずかしくなった。

「周防さん、今日、仕事は？」

「休みを取った。おまえ、腹が減っただろう？　食事にしよう」

「え、休んだって、何で」

直人の返事を遮るように、腹の虫が盛大に鳴った。とたんに可笑《おか》しそうにする周防の様子に、先ほどとは別の羞恥《しゅうち》に襲われる。そういえば、前にもこんなことがあったと思い出しながらベッドを下りようとすると、揶揄するような声がした。

「歩けるか。担いで行ってやろうか？」

「いや平気、大丈夫！　ちゃんと、歩け――」

折れそうになる膝に力を込め、憤然とドア口に向かいかけて、余っていた寝間着の裾を踏んづけた。もろに前に突っ込んだ感覚に「転ぶ」と覚悟した時、伸びてきた腕に呆気なく掬い上げられる。ほっとしてお礼を言おうと顔を上げるなり、いきなり身体が浮き上がった。

「え、ちょっ……」

「暴れると落とすぞ」

気がついた時には広い肩に担ぎ上げられ、突き当たりのドアの奥に連れ込まれていた。悠然とした足取りで進んだ先で、荷物扱いにしては丁寧にソファの上に下ろされる。

「待ってろ」と言っただけで、周防はすぐにカウンター向こうのキッチンに入っていく。ソファの上で膝を揃えて見送ってから、直人は広い室内を見回した。

リビングらしい南に面した掃き出し窓のある空間は、寝間着一枚でもちょうどいいくらいに暖まっていた。白とベージュで統一された室内は一見殺風景だけれど、よく見れば必要なものが必要なだけあるという雰囲気で、それが周防のイメージとぴたりと合っている。そのせいか、初めて入った部屋なのに気持ちがすとんと落ち着いた。

背凭れに寄りかかったところで、ソファのすみに自分のジャンパーとホルダーに入った携帯電話が置かれているのに気がついた。取り出して落ちたままの電源を入れると、間を置かずメール着信音が鳴り始める。長く続いたそれがおさまるのを待って確認すると、大学の友人たちから安否を気にするメールが複数届いていた。

画面のすみに表示された時刻は午後二時を回っていて、これから支度して出たとしても最後の講義に間に合うかどうかだ。今日は無理だと観念して、「風邪を引いて知り合いのところでダウンしている、明日は大学に行く」と返信しておいた。

続けて最後の未開封メールを開いて、直人は「あ」と声を上げる。そのタイミングで、周防がトレイを手にキッチンから出てきた。

「メールか。大学の関係か？」

「それもあったけど、阪井さんから。マグカップ、おれのアパート宛に郵送したって」

「……昨夜、捨てるように言ったはずだが」

ローテーブルにトレイを置く周防は、露骨に眉を寄せている。その反応を意外に思った。そういえば、昨夜から不機嫌な顔をたびたび見ている気がする。

「そのカップって限定品で、おれが知った時には完売してたんだよ。友達とかにも協力してもらって、やっと未使用品を見つけたんだ」

「本当に気に入ってたのか」

「うん。うちで使うつもりだったんだけど、中身が見たくて阪井さんちで開けたらその場で使うことになって、そのまんま」

もっとも、不機嫌の矛先が直人以外に向いているのも明らかなのだ。促されるまま箸を取りながら、直人は内心で首を傾げてしまう。

周防が出してくれた食事はごはんに味噌汁に焼き魚に漬け物、そして海苔《のり》という純和風のもので、口にあって美味しかった。食後のお茶を貰って啜っていると、トレイを下げた周防がソファに戻ってくる。当たり前のように直人の隣に腰を下ろすと、前置きもなく言った。

「マグカップのメーカーと、細かい情報はわかるか？」

「……うん？　アパートに帰ったらメモがあるはずだけど」

「今度持ってこい。未使用品を探すから、新しいのが手に入ったら前のは処分しろ」

いきなりの台詞は予想外のもので、直人はきょとんと周防を見返す。

「何で？　ていうか、どういう意味？」

「大した意味はない。阪井の部屋にあったものを使わせたくないだけだ」

咄嗟に返事ができず、おまけにずんずんと顔が熱くなった。

直人にとっては、十分大した意味だったのだ。昨夜の周防の阪井への態度を思い出すと、つい自分にとって都合のいい解釈をしそうになった。

「阪井さんからのメール、追伸文もあったよ。おれの連絡先は削除するから、こっちも消しておくようにって」

直人の脅しが効いたのか、それとも周防の態度に退いたのか。定かではないが、どうやら阪井がこれ以上関わってくることはなさそうだ。ほっとしながら伝えると、周防はあっさり「そうか」と返してきた。

「念のためだ。今後はあいつに近づくなよ」

「う、ん。でもさ、おれが阪井さんに叩かれたのって、一回だけだよ？」

「当たり前だ。二度目があったら問答無用で別れさせていた」

即答にきょとんとしていると、横から伸びてきた手に携帯電話を取り上げられた。

「恋愛は個人の自由だ。おまえが阪井を好きだと言うなら、仕方がないと思っていた。――ただし、それは相手がまともであればの話だ。また手を上げるようなら、おまえに恨まれても別れさせるつもりだった」

今度こそ、顔全体が爆発するかと思った。絶対に真っ赤な顔になっていると思いながら固まったように周防を見上げていると、寄ってきたキスに上唇を齧られる。かすかな痛みに竦めた首ごと耳朶の下を抱え寄せるようにされて、今度は唇の合わせを少し乾いた体温に探られた。躊躇いがちに傍らの背中に指で縋ると、長い腕に腰ごと深く抱き寄せられる。

思いがけず長くなったキスに唇の奥を開け渡しながら、直人は胸の奥で安堵する。最後まであった小さな不安が、きれいに霧散していくのを知った。

もし周防が後悔していたらどうしようかと、そんな気持ちが残っていたのだ。

周防のカットソーの背中にしがみついていた指が、強くなる。もっと近づきたくて腕に力を込めると、背中ごときつく抱き込まれた。舌先が絡み合うキスは長くて息苦しくて頭がぼうっとしてくるのに、それでも離れたくないと思ってしまう。

「……っ、ん、――」

角度を変えて唇を齧ったキスが離れていくのが名残惜《なごり》しくて、喉の奥で言葉にならない声を上げていた。小さく笑う気配とともにもう一度唇を啄まれて、直人は周防の首にしがみつく。唇から外れたキスが頰からこめかみに、そして耳へと移るのを感覚で追いかけていると、やんわりと耳朶に歯を立てられた。

びくんと揺れた肩を宥めるように撫でられて、息を吐くように力を抜く。いつのまにか直人の指には周防の首ではなく髪が絡んでいて、少し剛《つよ》いその感触に息苦しいような気持ちになった。

肌に当たっていた吐息が、ふっと遠くなる。瞬いて目を向けると、ピントが合わないほど近くで視線がぶつかった。目を離さずじっと見つめていると、苦笑混じりに髪を撫でられ、頭ごと引き寄せられる。

半身を周防に預けた格好で、そっと全身から力を抜いた。頰を寄せた肩は分厚くて温かくて、それだけでひどく安心する。抱き寄せられた腰をそのままに長い指に髪の毛を梳《す》くようにされて、心地よさに目を閉じてしまった。

周防は黙っていたし、直人も何も言わなかった。伝わってくる体温はひどく優しく、こめかみを撫でる指は子守歌のようで、どこからか滲んだように眠気が差してくる。

「……しばらく横になるか？　寝室でもここでも、好きな方を使っていいぞ」

近くで聞こえた低い声に、シャボン玉がはじけたように我に返った。「うん」と曖昧に返して、直人は少し考える。顔を上げ、慎重に言った。

「ちょっと訊いていい？　周防さんてもしかして、もしかしなくてもおれの気持ちとか、言う前からわかってたりした……？」

表情が変わらない人だけれど、少なくとも感情が揺れたかどうかはわかる。そういう自負が直人にはあったのに、昨夜、山の上の公園で告白した時に、周防の中にそうした変化を感じなかった。その時点で、あるいはと思っていたのだ。

果たして、傍らの周防は即答で肯定した。

「昨夜、迷子になってるのを道端で拾っただろう。あの時に、そうじゃないかとは思った」

「嘘。おれ、そんな露骨だったっけ」

「昨夜ははっきり顔に出てたな。もっとも竹本に言わせると、おまえは俺以外の相手の前では鰻《うなぎ》もどきに掴み所がないらしいぞ。そのくせ嘘がないところが面白いんだそうだ」

淀《よど》みのない答えに微妙に引っかかりを覚えて、直人は周防を見上げる。

「おれ、鰻なんだ？　でも竹本さん、前から豆柴の子犬とかハムスターだって言ってたよ。周防さんはドーベルマンらしいけど。……って、周防さん以外の前ではって、何それ」

「俺の前限定で、露骨にわかりやすくなるんだそうだ。傍目には一目瞭然らしい」

「げー……」

思わず呻《うめ》きながら、それがよほどのことがない限り他人のプライベートに突っ込んでこない竹本の言い分だということに安堵した。

「んじゃあさ、これが最後だから、本当の本音を訊いていい？　――周防さん、この先、結婚しようとか考えてたりする？」

直人の問いに答える代わりのように、周防は腰を抱いていた腕を強くした。

「――いきなりだな。どうしてそんなことを訊きたいんだ」

腰に回った周防の腕に自分の手のひらを重ねながら、直人は慎重に言葉を探す。

「おれの、勝手な希望なんだけど。どうせ続かないっていうのは、もうやめたいと思って」

「どうせ続かない？」

「おれの口癖、だったんだ。今までは、最初っからずっと諦めてた」

胡乱そうに眉を寄せた周防を振り仰いで、直人は訥々と以前「長続きしなかった」ことを口にする。両親の離婚や最初の恋人に話が及んでも、周防は黙って聞いていてくれた。

「そういうのは、もう終わりにしたいんだ。けど、周防さんには周防さんの都合があるじゃん？　だから、それだけは確かめておこうかなって」

「それで？　俺が五年以内に結婚するつもりだとでも言ったらどうするんだ」

「諦めないよ。周防さんがおれと一緒にいたいと思ってくれるように、頑張ってみる」

思い切って口にすると、周防が笑う形に唇を歪めるのが見て取れた。摑んだままだった直人の顎を指先で撫でて、額に額をぶつけてくる。

「おまえ、身体は平気か？」

「は？　あ、えーと、うん。今のところ、は」

いきなり話を余所《よそ》に振られた上に近すぎる距離で困ったことを訊かれて、直人はつい狼狽《うろた》える。それへ、周防は平然と続けた。

「そうか。予備知識を入れておいた甲斐があったな」

「よびちしき？　って、どういうの……？」

「具体的なやり方を調べておいたんだ。案外、バラエティに富んでるから感心したぞ。――詳しく訊きたいなら教えようか？」

揶揄混じりに、意味ありげに言われて反射的に横に振った顎を取られ、やんわりと唇を齧られる。ぐるぐる回る思考の中で、昨夜周防が口にした言葉を思い出した。

「それって昨夜言ってた、もう少し時間をかけるっていうのと、関係ある……？」

「俺としては、ない。おまえに関してはありだな」

「え……えーと？」

首を傾げた直人の頬を摘んでむにむにと揉みながら、周防は軽く肩を竦める。

「予備知識を入れたのは、おまえに対する気持ちが恋愛感情かどうかを最終確認するためだ。実践に関しては腰を据えて、急がずゆっくり進めていくつもりだったんだが、その前におまえに諦められたら本末転倒だろう」

「あー……そ、っかも……」

かなり露骨なことを言われた気がして、摘まれた頬がかあっと熱くなった。喉の奥で笑って、周防は続ける。

「結婚に関しては、状況と相手次第だな。もっとも、いないものを無理に探してまでどうこうしようとは思っていない。つきあっている相手との間にそういう選択肢がないのなら、わざわざ考える必要もない」

「え、……」

「昨夜、はっきり言ったはずだ。覚悟もなしに男子学生に手を出せるほど、俺はリベラルにはできてない。——おまえがどう思っていようが、これきりにするつもりもない」

目を見開いた直人の髪を梳くようにして、周防は苦笑した。

もらった言葉は直人が望むものばかりで、返事をする声が勝手に震えた。

「……周防さん、本当に、それでいいんだ？」

「先のことがわからない以上、続くか続かないかは状況次第だ。——ただし、俺はやってみもしないことに理由をつけて諦めるのは性《しょう》に合わない。だから、おまえも協力はしろ」

冷静な答えに何度も頷きながら、ほっと全身から力が抜けた。同時に、周防の言う通り「先のことはわからない」のだと思う。

大事に大事に守ってきて、それでも意に反して壊れてしまうことがある。男同士に限らず、恋愛関係にはそういう側面もある。変化を目で見ることができないからこそ——人は必ず変わっていくものだからこそ、きっと思う以上に難しい。

だからこそ、何もせずに諦めたくはない。形にならない言葉を自分の中に溜め込んで、言わないままで終わらせることは、もう二度としたくなかった。

「周防さん」と呼んでみた。返事の代わりに頬を擽られて、直人は大切な言葉を口にする。

「おれ、いろいろ足りないけど、これからはきちんと話すようにする。だから、……周防さんからも言ってくれる？」

見下ろす目許が肯定するように笑ったのを知って、直人は破顔する。指に触れていた腕を、しっかりと握りしめた。

22

「こんにちはー。お疲れさまです」

街中にクリスマスソングが溢れ出した十二月最初の土曜日、大学を終えた直人が事務所に顔を出すと、応接スペースのソファに清水がいた。何やら難しい顔で分厚い書類の束を眺めていたのが、顔を上げるなり満面の笑顔になる。

「お疲れさまー。ナオくん、何だか久しぶりだねえ。元気だった？」

「まあまあです。清水さんは、今日は何か？」

所長の清水は、原則として日中に事務所に詰めている。大学やサークルを終えてから顔を出す直人と直接顔を合わせる機会は少なく、今日もほぼ一週間ぶりだ。そして、こんなふうに遅い時刻に事務所にいる時は、直人に新しい仕事を持ちかけてくることが多かった。

果たして、清水はにこにこと直人を手招いた。先日から着るようになったコートを脱いだ直人がその向かいに腰を下ろすのを待って、笑顔のままで切り出す。

「先月頼んだ魔窟の書類捜索、ありがとう。すごい助かったよ。ってことで、引き続き頼んでいいかな？　同じ条件で、年内にできればこれだけ」

「いいですけど、それだときりがないんじゃないですか。本格的に資料室を片づけた方が早いですよ？」

「人手が足りないからねー。ものがものだから誰彼構わず頼むってわけにもいかないし」

はあ、と頷いたのは、先月までに発掘したリストのほとんどが過去の仕事の報告書だったせいだ。タイトルを見ただけで週刊誌の記事になりそうだと思えるようなものがちらほらと混じっているあたり、確かに相手を選ぶ必要はあるに違いない。

「あのー。今さらですけど、そういう仕事をバイトのおれに回していいんですか？」

新しいリストを受け取りながら念のため確認してみると、清水はにっこりと笑った。

「ナオくんはいいんです。周防が見込んだってだけで十分。ああそうだ、周防とは無事に仲直りしたんだってね」

「はあ。仲直りっていうか、おれが余計なこと考えてただけなんです、けど」

清水の口から「仲直り」という言葉を聞くことに違和感を覚えて、つい身構えてしまった。

恋人同士になる直前まで周防と変にぎくしゃくしていたとはいえ、そうした場面を清水に見られた覚えはない。いくら相手が友人で上司だとしても、あの周防がプライベートを逐一報告するとは思えない。さらに、状況を知る竹本は以前からさりげなく清水を避けていたはずだ。

「そうなんだ？　でも、ナオくんに懐いてるのは周防の方だよね」

「それ、逆ですよ。周防さん、おれよりだいぶ年上なんだし」

即座に訂正しながら、そういえば最初の頃に清水から同じことを言われたんだったと思い出す。その時は聞き流していたが、考えてみればかなり怖い認識だ。

「逆じゃないよー。だってナオくん、うちのじいさんの診察受けた時点ではかなり周防を警戒してたでしょう。けど、周防はあの時にはナオくんを気にかけてたはずだよ？」

「それって、おれが周防さんの目の前で怪我《けが》したからだと思うんですけど……」

口にしたあとで気づく。診察の時に老医師が直人のシャツを脱がせて丁寧に診察したのは、おそらく周防の口添えがあって、阪井の暴力を疑っていたからなのだ。

「だからって、ああも親身になるとは思えないねー。周防って個人主義だし、基本的に他人に興味がないんだよ。怪我人が気になるだけなら、救急車かタクシー呼んで本人乗っけて最寄りの当番医を行き先に指定すれば、それで十分親切でしょう」

「はあ。……それは、そうですけど」

「蓋を開けてみたら趣味も一緒だったし、ナオくんて素直だから気に入るのも当たり前だとは思うけど。そうそう、マスターから聞いたよ。周防って、このところ『沙羅』にもよく顔出してるんだって？」

最後の一言で、清水の情報源が見えた。そういえば、「沙羅」のマスターにはかなり微妙でまずいところを見られたような覚えがある。

「周防って、本来コーヒーとかはあまり好きじゃないはずなんだよね。ナオくんがバイトしてる日に限って『沙羅』に来るっていうの、本当？」

「……限ってかどうかは知りませんけど、時々見えますよ。最近、コーヒーに目覚めてきたって話は聞きましたけど」

「そっかあ。――それだけ？」

「でしょう。他に何かありましたっけ？」

興味津々に覗き込んでくるのにいつも通りの笑顔で問い返しながら、背中にだらだらと冷や汗が流れてきた。これ以上喋ってボロを出すよりはと、直人はそそくさと腰を上げる。

「おれ、さっそく書類探しに入りますね。早い方がいいでしょうし」

「助かるなあ。あれ、でもナオくん、今日は何か用があって来たんじゃないの？　『沙羅』のバイトは入ってないし、書類作成も一段落してたはずだよね」

「ああ、その、ちょっと時間があったんで、先月見つからなかった書類を探しておこうかと思ったんです」

咄嗟の思いつきをそれらしく言うと、清水は「そう？」と人好きのする顔で笑った。

「いつもいつも悪いなあ。あてにしてるから頼むねー」

こくこくと頷いて、半分逃げるように資料室に駆け込んだ。後ろ手にドアを閉じて、直人はこっそり額の汗を拭う。

直人が今日事務所にやって来た目的は、ほぼ百パーセント周防との待ち合わせなのだ。仕事上がりに一緒に社会人サークルの天体観測会に参加し、そのまま周防のマンションにお泊まりする予定だった。

直人的には、久方ぶりのデートなのだ。ちゃんと恋人になってから改めて認識したことだが、周防は午後から夜中まで仕事をしていることが多い。諸々《もろもろ》の事情もあってそうなるらしいけれど、それは夜に時間が空くとは限らないという意味でもある。会える機会が「沙羅」でのバイト中や周防の時間が空いた夜中心となると、正直、できたての恋人同士としては物足りない。

……もとい、周防は平気かもしれないけれど、直人の方が欠乏症になりそうだ。自分でもどうかと思うけれど、日に日に周防のことを好きになっているような気がする。

でも、しかし、だ。だからといって、むやみに人に周防との関係がバレるのは避けたい。ここは周防の職場であり、直人にとっても居心地のいいバイト先なのだから、隠し通す方が得策だ。そう思うだに、先ほどの清水の物言いを思い出すと身が細る思いがした。

できることなら周防が戻ってくる前に、清水には事務所を出ていてほしい。心底願いながら書類探しを始めて、十五分と経たないうちに聞き覚えた声に「ナオ?」と呼ばれた。おそるおそる資料室の入り口まで戻ると、そこには黒ずくめの周防が怪訝そうな顔で立っている。

「仕事中か。切りあげられるか?」

「あー……はい。大丈夫、です」

こわばった顔で敬語を使ったせいか、周防が胡乱そうな顔になる。祈るような気持ちで見上げていると、ひとまずその場では追及しないでいてくれた。周防について戻った事務所の応接スペースには願い空《むな》しくまだ清水がいて、過ぎるほどにこやかに手を振ってくる。

「お疲れさまー。気をつけて行ってらっしゃい」

「……お先に失礼します……」

下手に喋ると墓穴を掘りそうで、短く挨拶だけして事務所を出た。周防について駐車場に回り、何度か乗ったことがあるシルバーの車の助手席に乗り込む。

ちなみに車は事務所所有のものだ。本格的な観測会の際には必ず所有の望遠鏡を持ち出すため、周防は事前に清水から許可を得て借りているという。

——つまり、今日直人が周防と一緒に観測会に出向くことを、清水はとうに知っていたことになる。

「何かあったのか？」

事務所を出て十五分ほど過ぎた頃になって、周防が言う。その声を合図に全身から力を抜いて、直人はそろりと運転席でハンドルを握る年上の恋人を見た。

「あの、さ。もしかして清水さん、おれと周防さんのこととか全部知ってたり、する……？」

「知られても構わないが、わざわざ話す必要性がないな」

「え、……構わないんだ？　でもさ、そういうの――」

ぎょっと目を向けた直人を窘めるように、周防はちらりと助手席を見た。

「清水はあれで口は堅いし、他人の事情を吹聴する趣味もない。……好奇心でからかってくることが、ないとは言い切れないが。それで、何を言われた？」

「え、と……周防さんのことを、思わせぶりな感じでいろいろと。おれが階段落ちした時にわざわざ清水さんのおじいさんのとこに連れていったのは周防さんがおれのこと気にしてたからで、他の人だったらタクシーか救急車で当番医行きだったとか何とか」

「それに関しては、間違いじゃないと思うが」

即答に、直人はぽかんとする。

「え、何で？　あの時のおれって周防さんに八つ当たりしてばっかりで、すごい態度悪かったと思うんだけど」

「市の観測会での印象が強かったんだ。正直、当初の予想とは違い過ぎたからな。――あの部長が連れて来る奴に、まともな手伝いができるとは思わなかった」

それはそうだろうと、思わず頷いていた。

悪い人ではないと思うが、サークル責任者としてはまるっきりあてにならない人なのだ。望遠鏡の扱いを知らずこれから覚えようという気持ちもなく、観測会と称した夜間合コンを熱心に企画する。望遠鏡の扱いは後輩に丸投げし、セッティングすれば女の子優先で見せたがり、どこからか聞きかじった蘊蓄《うんちく》を披露する。その内容がまた出鱈目《でたらめ》な上、見上げた夜空で北極星すら見つけることができなくてもけろりとしている。

「おまえは望遠鏡の扱いもほぼ完璧だったし、気を利かせて余所の手助けにも行っただろう。それで戻ってくるなり言うことが、まずいところがあったら教えてほしい、だ」

「えー。だってそれ、ふつうじゃん」

「本気で星見が好きなのに、わざわざあのサークルに所属している。それなら部長連中と対立交戦しているのかと思えば違和感なく中に入っていて、都合よく頼りにされていただろう。表向き人懐こくしている割に部長連中の姿勢は正しく理解して、後ろからきっちり糸を引きながら地道に活動する準備をしている。なかなかできることじゃないと思うぞ？」

「……周防さん。それ、誉《ほ》め言葉に聞こえないよ？」

複雑な気分でため息混じりに言うと、運転席で周防が笑うのが聞こえてきた。

「この上なく誉めているだろうが。多少の金はかかっても自前で機材を揃えた方がずっと楽だろうに、あえてあのサークルにいるんだ。それなりのポリシーがあるだろうし、だったら頑固者かと思えば予想外に素直で、なのに妙なところで反発してくる。それが面白かった」

「だからそれ、誉めてないって。言われても仕方ないとは思うけどさあ」

要するに、物珍しさで興味が湧いたということだろうか。珍獣扱いは嬉しくないが、それで直人を気にかけてくれたなら結果オーライだ。

「そうだ。『沙羅』の件はどういう理由？」

「『沙羅』？　が、どうかしたのか」

問いに、周防がこちらに目をくれる。斜めに流し見る視線がやけに格好良く見えて、助手席でひとりあわあわしてしまった。

「さっき清水さんに言われて、ちょっと前にはマスターからも聞いた。周防さんて本当はあんまりコーヒーは好きじゃなくて、『沙羅』にも行ってなかったのに、おれがバイト始めたとたんに常連になったって」

「おまえを星見に誘うには、あそこに行くのが確実だったからだな」

「……そっか。うん、そうだよね」

軽い口調で言われて、期待して寄りかかっていた壁を外されたような気分になった。追及するのも自意識過剰だと思えて短く頷いた時、車が目的地に到着する。

今日の観測会場は、直人が周防に告白した、あの山の上の公園だ。日が落ちて二時間ほどになるこの時刻は、とうに周囲は夜に取り巻かれている。とはいえ、満月が近い月から落ちる光は皓々《こうこう》と明るく、風景を影絵のように見せていた。

他のメンバーも集まりかけているようで、広い駐車場のそこかしこに車が停まっていた。トランクから荷物を下ろす人の中には前回覚えた顔もあって、直人はわくわくしてくる。

「あのさ、手伝う前に場所取りだけしとこうよ。せっかくだからおれ、展望台から見たいんだけど、無理？　三脚だけでも置いといたらど――」

シートベルトを外そうとした、その手を横から押さえられる。え、と瞬いて顔を上げた時には目の前に周防の顔があった。

ほんの数秒の、唇を齧っただけのキスだ。それなのに、ぼっと顔が熱くなった。

「ちょっ……誰、かに見られっ……」

「大丈夫だ。助手席は陰になって見えない」

「あ、のさあ！　そういう問題じゃなくてっ」

「本当は、おまえに会いに行っていた。どうしても、顔が見たくなる時限定でな」

「は、……？」

ぽかんと目を見開いた直人の頬を軽く抓《つね》ると、周防はさっさと車を降りていった。音を立ててドアを閉じると、車の後ろに回り込んでトランクを開けてしまう。

助手席でシートベルトを握りしめたまま、直人はたった今耳にしたばかりの言葉を思い出していた。

先ほどの質問の、もうひとつの返事なのだ。周防がたびたび「沙羅」に来ていた理由――。

「うー……」

不意打ちで、そんなことを言うのは卑怯だ。助手席で唸りながら、直人は自分の顔が真っ赤になっているのを自覚する。

兄貴分と弟分から恋人同士と呼ばれる関係になってから、周防の態度は微妙に変わった。それも、直人には予測不能で察知困難な方向へ、だ。

今の今まで大学のＯＢで親しくしているバイト先の人という、ふたりきりの時には物足りないスタンスを保っていながら、いきなりあんなふうに豹変《ひょうへん》する。直人が水を向けた時は知らん顔で流してしまうくせに、こっちが油断したり落ち込んだりしていると、ふいをついてちょっかいをかけてくる。

何より問題なのは、直人自身がそれを少しも厭だと思っていないことだ。周防といるのが楽しくて嬉しくて、――それと同じくらいに失ってしまうことを考えると怖くなる。

……できることなら、これからもずっと一緒にいたい。直人が、初めてそう願った人だ。だから、一緒にいるために精一杯の努力をする。

「意地でも続ける。絶対に、終わらせない……」

昼からこぼれた言葉は、いつかイクヤから聞いたそのままだ。あの時にはそんなのは無理だと、あり得ないと呆れていたフレーズを、今の直人は宝物のように握りしめている。

こつん、と近くで音がした。

「あ、……」

顔を上げてすぐに、助手席の窓ガラスの向こうに周防がいることに気がついた。

慌てて、直人は今度こそシートベルトを外す。内側のドアノブに手をかける前に、外からドアが開かれた。

「ごめん、すぐやるから！　えーと、どこに運んだらいい？」

「展望台がいいなら、三脚とシートで場所だけ取っておくか。そうでもしないと無理だろうな」

「それ、おれが行く！　シートってトランクにあるよね？　広げてその上に三脚置いたらいいかな」

ドアを閉めて後ろのトランクに駆け寄った。布袋に収まった三脚を引き出していると、追ってきた周防が背後に立った。え、と思った時には頭の上に重みがあって、ぐしゃぐしゃと髪をかき回されている。仰け反るようにして見上げると、見下ろす顔とまともに目が合った。

一見子ども扱いに見えるその仕草が、けれど本当はそういう意味ではないと直人は知っている。その証拠に、とんと頭を撫でた手がこめかみから頬を辿るように落ちて、背後からくるむように抱き込まれた。

「周防さん、……これ、やばくない？」

「どうしてだ。手に余る荷物を出すのを手伝うだけだろう」

けろりと嘯《うそぶ》いた手のひらが、直人の指の上から重なるように三脚に伸びる。握り込まれた先から伝わってくる体温に顔が熱くなるのを知って、周りが暗くてよかったと心底思った。

「んじゃ、ありがとうございますー。おれ非力なんで、助かりますっ」

「……どういたしまして」

苦笑が混じった声で言う人に、抱きつきたくなった。今は駄目だとどうにか自制して、直人は周防の手を握る形で三脚を摑み直した。

ちらりと見上げた先で、周防の頬が笑う。その表情も声も、とても好きだ。そうやって日に日に降り積もっていく気持ちは複雑な色を帯びていて、今にも唇から溢れそうなのに、うまく言葉になってくれない。

けれど、きちんと伝えると決めたのだ。もう二度と、言うべき言葉を飲み込んだりはしない。うまく言えなくても、時間がかかっても頑張れる。

頑張るための勇気も、目の前の人から貰っている――。

「じゃあ、おれ先に展望台に行くね！　周防さんはあとから来て」

三脚を抱えて宣言したのに、伸びてきた手にそれを奪われた。代わりに丁寧に折り畳んだシートを渡されてきょとんとしていると、軽く頬を抓られる。

「おまえはこっちだ。三脚は俺が持っていく。……一応忠告しておくが、走るなよ。どうしても走るなら、せめて転ばないようにしろ」

「りょーかいです。お先にっ」

シートを抱えた手で敬礼の真似事をして、直人はダッシュする。「おい」と背後からかかった呆れ声が、何だかとても嬉しかった。

二週間目

何となく気になる。あるいは、見ていると構いたくなる。

周防京史《すおうきょうじ》にとって、譲原直人《ゆずはらなおひと》はそういう存在だった。

■

仕事を一段落させて立ち寄った事務所では、いつものように竹本《たけもと》が顔の上に雑誌を伏せた格好で、窓際のソファに伸びていた。

「竹本ひとりか」

肩すかしに遭った気分でぽつりと口にすると、眠っているとばかり思っていた竹本がのそりと動いた。指先で雑誌を引いて目許だけ見せるなり、静かな口調で言う。

「『沙羅《さら》』ですよ」

「…………?」

唐突な言葉に、周防は怪訝《けげん》に眉《まゆ》を寄せる。

この事務所の数少ない正社員であり、周防にとって職場の後輩でもあるこの人物は、とにかく物言いが細切《こまぎ》れだ。相手が知っているだろう箇所をばさばさとカットして喋《しゃべ》るため、時に意志疎通が成り立たないことがあった。

「譲原。今日が初日で、毎週月水木金だそうです」

知っているはずだと言わんばかりに続いた台詞《せりふ》で、ようやく話が繋《つな》がった。

竹本の言う「譲原」——譲原直人は、二週間前にひょんなことからこの事務所に入ったアルバイトの大学生だ。バイト開始当初は右足首を捻挫《ねんざ》していたため、事務所での書類作成を請け負っていた。その足が完治したのを機に、別の仕事を回されることになった。

それが、ここから歩いて十分の距離にある珈琲《コーヒー》専門店——「沙羅」でのアルバイトなのだ。

「……そうか。おまえは帰らないのか？」

「脳内作業中です。個展の草案は明日出しします」

木で鼻を括《くく》ったような返事だが、昔と比べれば答えるだけ進歩だ。短く頷《うなず》いて、周防は一応念を押す。

「わかった。こっちは帰りが未定だからデスクの上に置いておいてくれ」

「了解。あと、所長から伝言。夜逃げ仕事の件で相談ありだそうです」

「相談？」

「依頼人から連絡があって、彼氏にバレたかもしれないとか」

答えは短いが、内容は明白だ。要するに、同棲相手の暴力に耐えきれず逃走を決めた依頼人に何か変事があったということだった。その場で清水《しみず》に電話を入れると、依頼人の意向で日程を再検討するという。

諸々《もろもろ》の確認をすませ、頭の中で予定を入れ替える。細かい調整の算段をしながら一声かけて事務所を出ようとした時、背後から竹本の声がした。

「『沙羅』に行くんですか」

声に振り返ると、いつの間にか竹本はソファの上で身を起こしていた。

「懐いてますよね。所長の認識では、周防サンが譲原に、ですけど」

きれいに整った気怠《けだる》そうな顔を見ながら、珍しいことを聞いたと思った。

周防の認識における竹本は、「一匹狼」ならぬ「懐かない猫」だ。実は遠縁に当たる清水にすら気を許す素振《そぶ》りがなく、他のスタッフとも打ち解けようという気配がまるでない。周防が知る限り、特定の「誰か」を気にする素振りを見せたのは、これが初めてだ。

「……そんなふうに見えるのか」

「個人的にですけど、オレ、譲原のことは気に入ってるんで。一応断っておこうかと」

平淡に続ける竹本の顔は、いつもと変わらず表情が薄い。並外れて整っている容貌《ようぼう》のおかげで、作り物のように見えた。

「あいつが周防サンに懐いてるのは承知してます。邪魔はしませんのでご心配なく」

続いた言葉は予想外のもので、思わず眉を寄せていた。

「何の邪魔で、何の心配だ」

「自分の胸に聞いてください」

さっくりと言い渡すなり、竹本は再びソファに転がり、顔に雑誌を伏せてしまった。話は終わりと言わんばかりの態度に肩を竦《すく》めて、周防は先に事務所を出る。そのまま徒歩で「沙羅」に向かった。

午後七時を回った通りは、すでにとっぷりと夜に沈んでいる。街灯の光と行き交う車のヘッドライトで通りは十分に明るく、そのせいで見上げた空にはほとんど星が見えない。

「沙羅」の売りは、オーダーを受けてから豆を挽《ひ》く本格的なコーヒーだ。ゆったり過ごせるという理由で、常連客も多いらしい。もうじき七十になる店主は気難しく、気に入らない客は問答無用で追い出すことで知られている。

その「沙羅」に、清水事務所は三年ほど前からアルバイトを斡旋《あっせん》しているのだ。

仲介料の上乗せ分だけ相場より割高になるにもかかわらず店主がそのやり方を取っているのは、「気に入らなければ即変更できるから」だ。事実、この三年で何人かが出入り禁止を言い渡されていた。

「沙羅」のアルバイトを直人にと言い出したのは清水だが、それには周防も賛成した。三年のつきあいで店主の好みは薄々知れていたし、直人なら大丈夫だろうと確信したからだ。

もっとも、特にコーヒーを好まない周防は、初回の契約以来「沙羅」に足を運んでいない。「沙羅」の入り口の木製扉を迷うことなく押し開けたあとで、メニュー内容にコーヒーしかなかったらどうしようかと思った。

「いらっしゃいませ……あ！」

磨き込まれて飴色《あめいろ》になったカウンターの向こうに立っていた直人が、周防を見るなり人懐こい笑顔になる。店員らしい改まった物言いで、オーダーの確認をしてきた。

三年前に一度会ったきりの店主は周防を覚えていたらしく、ブレンドを出しながら会釈をしてきた。クラシック音楽が低く流れる店内は客で七割埋まっていて、その中で直人は初日とは思えないほどしっかり仕事をこなしている。店主とも問題なくやれているようだ。

「ここが終わったあと、用はあるか？」

店内の客は自分だけになった閉店時刻間近に、カウンターの向こうで洗い物をしていた直人に声をかけると、きょとんとした顔をされた。

「え、いえ。ウチに帰るだけ、ですけど」

「だったら星見に行く気はないか？　帰りは日付が変わる頃になると思うが」

「え、っと……それって、こないだの観測会みたいな……？」

「あれとは別だ。移動はオートバイで、双眼鏡を使う。俺とおまえだけだ」

思い立った時すぐに星を見に行くのが周防の一番の息抜きであり、楽しみなのだ。思いつきで動くためいつも単独だったが、今回は直人を誘ってみようと思い立った。

直人は、とたんに嬉《うれ》しそうな顔になった。マスターの耳を気にしてか、声を落として言う。

「おれ、周防さんの邪魔になったりしませんか？」

「邪魔なものをわざわざ誘う趣味はないぞ」

「じゃあ行きたいです！　よろしくお願いしますっ」

満面の笑顔を向けられて、どうやら自分はこれが見たかったらしいと認識した。同時に、先ほどの竹本の言葉を思い出す。

（懐いてますよね。所長の認識では、周防サンが譲原に、ですけど）

どちらがどちらにかは置くとして、清水にもたびたび言われていることだ。というより、清水の祖父の診療所に直人を連れて行った時点で、あの友人はそれに近い認識を抱《いだ》いていたように思う。

……マンションの廊下で直人に声をかけたのは、殴《なぐ》られたと一目でわかる頬《ほお》と、あの時刻に締め出すという行動にDVを連想したからだ。必要以上に関わるつもりはなかったが、放置するのもどうかと思った。

市の観測会で後輩として紹介された時は、偶然の成り行きに驚くと同時に、直人の考え方を面白いと思った。さらに翌日、マンションの廊下で八つ当たりじみた敵意を剝《む》き出しにされた時には、周防にとって直人はただの通りすがりではなく、気がかりな後輩になっていた。

もっとも、この場合の「気がかり」はマイナス要因だ。問題の恋人と別れたと聞いた時点でプラスマイナスでゼロとなり、直人への関心は一気に薄れた。

同じ事務所のバイトと社員とはいえ、デスクワーク関連の仕事をやらない周防が事務所にいる時間はごく短い。そして、アルバイトの直人が事務所にいるのは夕方から夜の間で、タイミングによっては数日顔を見ないことも珍しくない。

こちらから構う理由も必要もないし、向こうの突っかかり具合を見てもわざわざ関わっては来ないだろう。そんなふうにいったんフラットに戻った直人への関心がプラスの方角に動いたのは、成り行きで一緒に夕食をしたあとだ。

怪我人《けがにん》を自転車で帰す気になれず自宅まで送った時、直人はわざわざ周防に謝ってきたのだ。黙っていればわからないだろう事情を説明し、失礼なことをしたと頭を下げた。

思いがけない素直さに、驚いたあとで感心した。ありていに言うなら、見直したのだ。市の観測会の時に「面白い」と感じたこと、大学サークルでまともな観測会ができないとぼやいていたのを思い出して、自らが所属する社会人サークルでの天体観測会に誘ってみた。

気まぐれに近い思いつきだったのに、直人は傍目《はため》にわかりやすく喜び勇んで参加した。労を厭《いと》わず熱心に手伝う上に、周防の指示や忠告には素直に頷いてあとを追ってくる。その様子は飼い主に懐く子犬のようにわかりやすく微笑《ほほえ》ましかったし、周防自身も直人といるのを楽しいと思えた。

直人のように手放しで、さらには全力で懐いてくる相手は初めてだったのだ。これまで縁のなかった「可愛い後輩」という言葉が頭に浮かぶくらいに、周防は直人を気に入っていた。

「沙羅」のコーヒーは、意外なほど美味《おい》しかった。少し味覚が変わったのかもしれないと思いながらカップの中身をからにして、周防は閉店十五分前に席を立った。

「ありがとうございましたー。……えっと、ここが終わったあとで事務所に戻ったらいいですか？」

後半の問いをこそりと言った直人は、見た目にわかるほど嬉しそうだ。それへ、苦笑混じりに言葉を返す。

「急ぐ必要はない。気をつけてゆっくり来い」

「はい」と笑顔で頷いた直人から釣りを受け取って、周防は事務所に引き返した。

竹本も引き上げたらしく、事務所は無人になっていた。

ここしばらく使っていなかった予備のヘルメットと携帯用の双眼鏡を準備して、周防は駐輪場に引き返す。念のためオートバイの状態を確かめたあと、事務所のドアに凭《もた》れて行き先を思案していると、車道の端をこちらに向かって走ってくる自転車のライトが目についた。

周防を認めてぶんぶんと手を振ってくる影が、躾《しつけ》のいい子犬のように見えた。

「す、みません！　だいぶ待ちましたよねっ？」

「いや。少し長く走るが、オートバイに二人乗りは平気か？　無理なようなら車を借りるが」

「大丈夫だと思います。ていうか、おれが後ろに乗せてもらってもいいんでしょうか」

自転車に施錠してやってきた直人が、少し遠慮がちに言う。それへ、ぽんとヘルメットを差し出した。

「注意事項がいくつかある。それだけ覚えてくれ」

真面目《まじめ》な顔で頷く直人に説明しながら、改めてどこのスポットに連れていこうかと吟味《ぎんみ》をし、――それを心底楽しんでいる自分を知った。

ザ・ミステリ・コレクション

その城《しろ》へ続《つづ》く道《みち》で

著者　リンゼイ・サンズ

訳者　喜《き》須《す》海《み》理《みち》子《こ》

発行所　株式会社 二見書房
東京都千代田区三崎町2-18-11
電話 03(3515)2311 [営業]
03(3515)2313 [編集]
振替 00170-4-2639

印刷　株式会社 堀内印刷所
製本　合資会社 村上製本所

落丁・乱丁本はお取り替えいたします。
定価は、カバーに表示してあります。

ISBN978-4-576-12108-6
http://www.futami.co.jp/

ハイランドで眠る夜は

リンゼイ・サンズ
上條ひろみ［訳］

両親を亡くした令嬢イヴリンドは、意地悪な継母によって〝ドノカイの悪魔〟と恐れられる領主のもとに嫁がされることに…。全米大ヒットのハイランドシリーズ第一弾！

いつもふたりきりで

リンゼイ・サンズ
上條ひろみ［訳］

美人なのにド近眼のメガネっ嬢《こ》と戦争で顔に深い傷痕を残した伯爵。トラウマを抱えたふたりの熱い恋の行方は？とびきりキュートな抱腹絶倒ラブロマンス

待ちきれなくて

リンゼイ・サンズ
上條ひろみ［訳］

唯一の肉親の兄を亡くした令嬢マギーは、残された屋敷を維持するべく秘密の仕事——刺激的な記事が売りの覆面作家——をはじめるが、取材中何者かに攫われて!?

銀の瞳に恋をして

リンゼイ・サンズ
田辺千幸［訳］

誰も素顔を知らない人気作家ルークと編集者ケイト。出会いは最悪&意のままにならない相手なのになぜだか惹かれあってしまうふたり。ユーモア溢れるシリーズ第一弾！

永遠の夜をあなたに

リンゼイ・サンズ
藤井喜美枝［訳］

検視官レイチェルは遺体安置所に押し入ってきた暴漢から〝遺体〟の男をかばって致命傷を負ってしまう。意識を取り戻した彼女は衝撃の事実を知り…!?シリーズ第二弾

英国紳士のキスの魔法

キャンディス・キャンプ
山田香里［訳］

若くして未亡人となったイヴは友人に頼まれ、ある姉妹の付き添い婦人を務めることになるが、雇い主である伯爵の弟に惹かれてしまい……!?　好評シリーズ第二弾！

あとがき

おつきあいいただき、ありがとうございます。椎崎夕です。

今回の原稿は、仕上がってみたらプロットとは違う印象になりました。個人的に珍しいことなのですが、むしろ好きな感じになった気がします。

ちなみに主人公の名前については、フリガナ込みで決定後に某キャラクターとの一致に気がつきました。もはや脳内で変更不能だったのでそのまま使用、というのが真相です。


まずは、挿絵をくださったコウキ。さまに。きれいな挿絵をありがとうございます。人物ラフに描いてあった豆柴他（「ハム」含みます）の可愛らしさに、進行中つくづく癒されました。本の仕上がりを楽しみにしております。

今回、またしてもご面倒をおかけしてしまった担当さまにも、心より感謝申し上げます。

……次回はもっと余裕を持って、と肝に命じて参ります……。

最後になりますが、この本を手に取ってくださった方々に。

ありがとうございました。少しでも楽しんでいただければ幸いです。

椎崎夕

✦初出　言葉にならない……………書き下ろし
二週間目…………………………書き下ろし

椎崎夕先生、コウキ。先生へのお便り、本作品に関するご意見、ご感想などは
〒151-0051 東京都渋谷区千駄ヶ谷 4-9-7
幻冬舎コミックス　ルチル文庫「言葉にならない」係まで。

幻冬舎ルチル文庫

言葉にならない

2012年11月20日　第1刷発行

✦著者	椎崎 夕　しいざき ゆう
✦発行人	伊藤嘉彦
✦発行元	株式会社 幻冬舎コミックス 〒151-0051 東京都渋谷区千駄ヶ谷 4-9-7 電話 03(5411)6432[編集]
✦発売元	株式会社 幻冬舎 〒151-0051 東京都渋谷区千駄ヶ谷 4-9-7 電話 03(5411)6222[営業] 振替 00120-8-767643
✦印刷・製本所	中央精版印刷株式会社

✦検印廃止

ISBN978-4-344-82673-1　C0193　Printed in Japan